나는 하나님의
가능성
이고 싶다

나는 *하나님의 가능성*이고 싶다

지은이 | 조현영
펴낸날 | 2007. 10. 5.
52쇄발행 | 2011. 12. 5.
등록번호 | 제 3-203호
등록된 곳 | 서울시 용산구 서빙고동 95번지
발행처 | 사단법인 두란노서원
영업부 | 2078-3333 FAX 080-749-3705
출판부 | 2078-3444

▮책값은 뒤표지에 있습니다.
ISBN 978-89-531-0882-0 03230

▮독자의 의견을 기다립니다.
tpress@tyrannus.co.kr http://www.Duranno.com

두란노서원은 사도행전19장 8-20절의 정신에 따라 첫째 목회자를 돕는 사역과 평신도를 훈련시키는 사역, 둘째 세계선교(TIM)와 문서선교(단행본·잡지) 사역, 셋째 예수문화 및 경배와 찬양 사역, 그리고 가정·상담 사역 등을 감당하고 있습니다. 1980년 12월 22일에 창립된 두란노서원은 주님 오실 때까지 이 사역들을 계속할 것입니다.

나는 하나님의 가능성 이고 싶다

조현영 지음

두란노

| 차례 |

시작하는 글 · 6

Part 1 당신은 하나님이 선택한 사람이다

춤만 잘 추던 열등생 · 12

믿음의 유산, 어머니 · 25

하나님의 원대한 비전을 그려라 · 36

십일조의 놀라운 비밀 · 41

가정예배의 힘 · 50

Part 2 하나님의 지혜를 먼저 구하라

영어 빵점짜리 유학생 · 56

공부보다 음악을 사랑했던 시절 · 62

금식기도를 통해 얻은 하나님의 지혜 · 74

하나님의 지혜가 안겨 준 축복 · 83

Part 3 자신의 비전을 실천하는 하나님의 일꾼이 되라

하나님의 원대한 비전을 실천하라 · 100

비전을 이루기 위한 지침서 · 106

1. 신앙서적을 읽고 신앙의 역할 모델을 삼으라 · 106

2. 부흥집회를 다녀라 · 108

3. 주위에 기도 동역자들을 세워라 · 113

4. 간절함을 갖고 하늘 문을 여는 기도를 드려라 · 117

5. 담대한 자가 비전을 이룬다 · 121

참된 그리스도인의 삶 · 126

성숙한 그리스도인 · 138

나는 소금이 될 테니 당신은 빛이 되어 주세요 · 152

Part 4 초 · 중 · 고등학생을 위한 〈10계명 학습법〉

　　[공부를 잘하게 하는 생활 습관 10계명 학습법]

　　　1. 동기부여가 공부의 첫걸음이다 · 160

　　　2. 자신만의 공부 계획을 세워라 · 169

　　　3. 시간을 정복하라 · 174

　　　4. 집중력을 키워라 · 180

　　　5. 기억의 끈을 놓지 말라 · 188

　　　6. 슬럼프에서 재빨리 탈출하라 · 194

　　　7. 복습하라 · 200

　　　8. 잠을 다스려라 · 203

　　　9. 식습관도 전략이다 · 208

　　　10. 실천하라 · 211

　　[영어 실력을 쌓는 5가지 학습법]

　　　1. 영어 성경으로 영어 지혜를 얻으라 · 212

　　　2. 영어 학습의 기본은 단어 암기다 · 216

　　　3. 영문 책을 읽어라 · 219

　　　4. 영작을 하라 · 222

　　　5. 자신감을 갖고 말하라 · 225

　　조현영이 십대에게 전하는 33가지 충고 · 229

주님을 증거하는 도구가 되어
　　　　하나님의 영광을 드러내길…

"여호와는 나의 힘이요 노래시며 나의 구원이시로다 그는 나의
하나님이시니 내가 그를 찬송할 것이요 내 아비의 하나님이시니
내가 그를 높이리로다." 출 15:2

얼마 전 극동방송 라디오 프로그램에 출연해 학창 시절에 경험
한 하나님의 기적에 대해 이야기할 기회가 있었다. 하나님께 받은
지혜로 영어 빵점인 열등생에서 우등생으로 변모하게 된 과정과
하나님의 역사하심을 청취자에게 증거했다. 방송을 마친 후 극동
방송의 한 관계자 분께서 오시더니 이런 말씀을 하셨다.

"젊은 사람의 신앙간증이 많은 크리스천 학생들에게 큰 도전이 될 것 같군요. 학생들에게 조현영 씨만의 공부 방법과 영어 학습법을 구체적으로 알려 줄 수 있다면 그들에게 더 큰 도움이 될 것 같네요."

그 말씀은 곧 하나님의 계시와도 같았다. 나는 온전히 하나님의 방법과 그분의 지혜로 우등생이 될 수 있었다. 그런데 이제는 그것을 다른 사람에게 증거해야 할 때라는 생각이 들었다. 그 후로 나는 틈틈이 내 신앙간증과 학창 시절에 체험한 하나님의 학습법을 글로 옮기기 시작했고, 그 노력은 곧 『나는 하나님의 가능성이고 싶다』라는 책을 통해 구체화되었다.

유난히 무더웠던 지난 여름은 당시 전국을 다니며 교회의 신앙간증 집회 사역과 여러 가지 방송 일정 등으로 내게는 육체적으로 많이 고단한 시기였다. 그러나 크리스천 청소년과 젊은이에게 도전을 주고 교훈을 전달하는 것이 하나님께서 내게 주신 새로운 사명이었기에 순종하는 마음으로 부지런히 책을 썼다.

한 가지 놀라운 사실은 몸이 아무리 고단한 가운데 있더라도 글을 쓸 때만큼은 하나님의 영에 온전히 이끌려 생각지도 못하던 내용이 내 손끝으로 전해졌다. 글을 쓰는 중에 때로는 하나님께서 부어 주시는 은혜로 쓰던 글을 멈추고 눈물을 흘릴 때도 있었다. 나는 은혜 가운데서 하나님의 역사하심과 기적을 바라보며 간절히 기도했다.

"주님, 주께서 제게 예비하신 책을 쓰고 있는 중입니다. 부디 다시 한 번 이 책을 축복의 통로로 사용해 주시옵고, 공부에 지치고 신앙적으로 힘겨워하는 사람들에게 힘을 불어넣어 주실 줄 믿습니다."

2007년도 초 발간된 첫 책인 『나는 한국의 가능성이고 싶다』를 쓰기에 앞서, 지난해 나는 동일한 제목으로 기도를 드린 적이 있다. 책이 발간되고 나서 감사하게도 하나님은 내 기도를 하나 둘씩 이루어 주시기 시작했다. 내 책은 많은 젊은이와 학생에게 축복의 통로가 되어 그들을 일으켜 세우고, 심지어 믿지 않던 사람이 내 책을 통해 증거한 하나님을 믿게 되는 놀라운 역사도 체험했다. 모든 것 하나하나가 주님의 계획하심 안에 있었다.

나는 다시 한 번 이런 기적이 일어나기를 희망한다. 『나는 하나님의 가능성이고 싶다』가 어떤 형태로든 읽는 사람에게 하나님의 선한 영향을 끼치고, 하나님을 모르는 사람에게 복음이 전파되기를 바란다. 그리고 이 책을 통해 내가 체험한 하나님을 더 많은 사람이 만날 수 있기를 간절히 기도한다.

하나님께 선택받은 우리는 모두 '하나님의 가능성'이다. 하나님 안에서 자신이 받은 비전과 사명을 온전히 이루어 나갈 때 우리의 가능성은 극대화되고, 하나님은 영광을 받으실 것이다. 주님의 도우심으로 나의 가능성을 극대화하는 참된 그리스도인이고 싶다. 내가 숨 쉬고 있는 지금 이 순간에도 나는 글을 통해 주님의 복음을 온 열방에 전파하는 데 힘쓰고 있다.

나의 소망이 되시는 하나님은 내가 이 세상을 살아가는 이유다. 그러므로 나는 한시도 멈춰 서 있을 수 없다. 비록 여러모로 많이 부족하지만 주님을 증거하는 도구로써 나를 통해 하나님의 영광이 드러나기를 갈망한다. 하나님의 영광을 드러낼 수 있도록 『나는 하나님의 가능성이고 싶다』를 빚고 지원을 아끼지 않은 두란노서원과 내 지식의 한계를 뛰어넘게 도와주신 장윤진 님께 감사드린다. 더불어 기도로써 아낌없이 지원해 주신 가족을 비롯한 내 모든 기도 동역자께 깊은 감사의 마음을 전하고 싶다. 마지막으로 이 모든 것을 계획하시고 끝까지 붙들어 주시는 임마누엘 여호와께 영광을 올려 드린다. 아멘.

2007년 9월
조현영

9

Part 1

당신은 하나님이
선택한 사람이다

01

춤만 잘 추던 열등생

"난 알아요 이 밤이 흐르고 흐르면

누군가가 나를 떠나 버려야 한다는 그 사실을 그 이유를

이제는 나도 알 수가 알 수가 있어요…"

화려한 조명 아래 펼쳐지는 댄스 가수들의 흥겨운 노래와 현란한 춤은 당시 초등학생이던 내 시선을 사로잡기에 충분했다. 나는 주말 저녁이 되면 TV 음악 프로에서 눈을 떼지 못하고 내가 좋아하는 댄스 가수들의 춤 동작을 익히는 데 모든 정신을 쏟아 부었다. 나는 이들의 랩을 외우기 위해 카세트테이프를 수십 번 반복해 들으면서 따라 불렀고, 춤을 익히기 위해 방송을 녹화하는 수고도 마

다하지 않았다.

어린 시절 내 관심사는 공부도, 운동도, 게임도 아닌 오직 댄스 가수의 춤이었다. 춤은 곧 내 삶이었다. 춤 좀 그만 추고 제발 공부 좀 하라고 다그치시는 어머니를 뒤로한 채 나는 초등학교 1학년 때부터 미국 유학을 떠난 중학교 3학년 때까지 9년 동안 오직 춤에 모든 정신이 팔려 있었다.

춤과 음악에 몰두했던 시절

초등학교 때 수련회를 가면 내가 가장 고대하던 것이 바로 장기자랑 시간이었다. 장기자랑 시간은 그동안 매일같이 녹화 비디오를 돌려 보며 갈고 닦았던 춤 실력을 마음껏 뽐낼 수 있는 절호의 기회였다. 무대 위에서 춤을 추면 모든 학생의 시선은 나에게 고정되었고, 마치 TV를 보며 동경해 왔던 댄스 가수가 눈 앞에 있는 것처럼 커다란 함성과 박수 갈채가 이어졌다.

덕분에 수련회를 끝내고 돌아오면 한동안 내 인기는 하늘을 찌르는 듯했다. 이처럼 나는 공부보다는 춤을 사랑했던 일명 '춤꾼'으로, 좋은 성적을 받아 선생님의 사랑과 친구들의 부러움을 받는 학생과는 거리가 멀었다.

초등학교 5학년이 되던 해 쥐구멍에도 볕 들 날이 있다고 모범생

수련회에서 친구와 함께 열정적인 춤을 선보여 큰 박수를 받았다.

의 전유물로만 여겨지던 반장 선거에서 내가 반장에 뽑힌 적이 있다. 이는 수련회 장기자랑 시간 때 급상승한 인기에 힘입은 바가 컸다. 나는 압도적인 표차로 난생 처음 반장에 선출되었고, 학급을 지혜와 리더십으로 이끌어 가기보다 아이들이 내게 열광하던 춤을 더욱 열심히 추면서 인기를 유지해 나갔다. 그리고 어느새 한 학기가 훌쩍 지나가 버렸다.

그러던 어느 날 담임선생님이 어머니를 학교로 호출하셨다. 무슨 일인지 영문도 모르고 학교에 찾아온 어머니는 담임선생님으로부터 충격적인 말씀을 들으셨다.

"현영이 어머님, 현영이는 우리 반을 대표하는 반장 아닙니까. 그런데 성적이 너무 형편없어요. 도대체 아이를 어떻게 관리하시기에 성적이 계속 하위권을 맴돕니까?"

어머니는 그때 처음으로 아들이 공부를 못한다는 사실을 실감하셨다고 한다. 담임선생님의 충격적인 발언에 마음이 상한 어머니는 집으로 돌아와 나를 호되게 야단치시면서 제발 공부 좀 하라고 소리 치셨다. 나 역시 야단을 맞는 동안에는 열심히 공부해야겠다고 수없이 다짐했다.

그러나 작심삼일이란 말이 무색할 정도로 그 다짐은 하루를 넘기지 못했다. 책상에 앉아 공부에 집중하려 해도 몸이 근질근질해서 도저히 앉아 있을 수가 없었다. 공부를 시작한 지 30분도 되기 전에 눈꺼풀이 무거워지고, 눈을 감으면 TV에 등장하는 댄스 가수들의 춤이 떠오르고, 귓가에 음악이 울려 퍼지는 현상은 겪어 보지 못한 사람은 절대 알 수 없을 것이다. 걱정하시는 어머니를 모른 척하고 나는 또다시 춤과 음악에 모든 열정을 쏟아 부었다. 이렇다 보니 성적이 좋을 리 만무했다.

중학교에 진학했다고 해서 달라진 것은 없었다. 여전히 학교에서 춤짱이란 영예를 누리고 있었지만, 공부는 여느 때처럼 벼락치기를 하며 간신히 시험 기간을 보냈다. 공부에 대한 뚜렷한 목적의

식도 없을 뿐더러 일단 공부가 재미없었다. 내가 좋아하는 춤과 음악에만 모든 열정을 쏟아 붓고 싫어하는 공부는 거들떠보지도 않았다. 오히려 나는 공부에 전혀 소질이 없다고 스스로를 합리화하기에 이르렀다.

중학교에 진학하고 나서 처음 받은 성적표에 적힌 내 학급 석차는 앞에서 세는 것보다 뒤에서 세는 것이 더 빨랐다. 50명 중 30등을 훌쩍 넘어선 성적표에 어머니는 크게 실망하셨고, 나는 또다시 큰 걱정거리를 안겨 드리는 아들이 되고 말았다. 어머니는 내가 어릴 적부터 요셉과 다니엘처럼 민족을 이끄는 지도자로 성장하기를 바라셨고, 이를 위해 열심히 기도하셨다. 그러나 나는 이런 어머니의 기대와 너무나도 동떨어져 있었고, 요셉과 다니엘처럼 위대한 인물이 될 자질은 없어 보였다. 그래도 어머니는 쉬지 않고 기도하셨다.

중학교 3학년이 되던 해, 어느 날 담임선생님께서 반에 들어오셔서 우리에게 겁을 주셨다.

"올해 교육 정책이 바뀌어서 앞으로 인문계 고등학교에 진학하는 것이 예전에 비해 훨씬 어려워졌다. 이제는 고등학교를 재수해서 들어가는 사람이 많아질 거야."

우리에게 자극을 주시기 위해 한 말씀이었지만 당시 어렸던 나는 선생님 말씀에 덜컥 겁이 났다. 아무리 공부를 못해도 고등학교를 재수해서 들어가는 치욕은 상상도 하기 싫었기 때문이다. 그때부터 나는 이를 악물고 공부하기 시작했다. 독서실까지 다니며 열심히 중간고사를 준비했다. 수업 시간에 선생님의 말씀을 한 자도 놓치지 않고 필기하기 위해 최선을 다했다. 시험 기간이 되면 벼락치기로 일관하던 예전의 모습은 찾아보기 힘들었다.

그리고 나는 기적처럼 1학기 중간고사 시험에서 처음으로 30등을 벗어나 17등을 했다. 반에서 17등을 한 것이 큰 자랑은 아니지만, 지금까지 학교에 다니면서 받은 등수 중에 최고였다. 그만큼 나는 공부와 담을 쌓고 살았던 것이다.

처음으로 나 자신에게 부끄럽지 않을 만큼 최선을 다해 얻은 17등이란 등수는 우등생의 1등보다 값진 것이었다. 성적표를 손에 쥔 나는 세상을 얻은 것처럼 기뻐 날뛰었다.

그러나 잠시 후 담임선생님의 한마디가 나를 낙심하게 만들었다.

"현영아, 니 커닝했지!"

그 말을 들은 순간 그만 풀이 죽고 말았다. 주변 친구들도 "현영아, 네가 무슨 공부를 한다고 그래? 그냥 춤이나 춰"라며 내 노력을 무시했다. 이처럼 나는 주위 사람에게 그동안의 노력을 인정받지 못한 채 여전히 춤만 잘 추는 열등생으로 남아 있어야 했다. 내가 춤을 출 때는 모든 사람이 나에게 환호를 보내며 응원했지만 공부에 대해서는 아무도 관심을 갖지 않았다.

새로운 출발, 미국 유학

당시 어머니는 누나는 물론이고 공부를 못하는 나까지도 요셉과 다니엘처럼 세계적인 인물로 키우겠다는 희망을 버리지 않으셨다. 그래서 내가 초등학생일 때부터 더 넓은 세계로 유학을 보내기로 결심하시고 나서, 두 아이를 경제적으로 뒷받침하고 유학의 문을 열기 위해 5년간 하나님께 기도로 부르짖으셨다. 그 결과 하나님은 우리 가정에 기적을 가져다주셨다. 미국에서 목회하시는 한 목회자 부부가 누나를 전적으로 맡아 주시겠다고 하신 것이다.

오래 전부터 미국 유학을 갈망하던 누나는 덕분에 큰 금전적인 부담 없이 유학길에 오를 수 있었다. 그리고 TV로만 접하던 미국이란 나라를 너무 갈망하던 나도 1년 후 누나를 따라 유학을 가기로 결심했다. 그때 내 나이 열여섯 살이었다. 도피 유학을 떠나는 거라고 말하는 친구들도 있었지만 나는 진정으로 넓은 세계를 경험하고 싶었다.

아무런 준비 없이 무작정 떠난 미국 유학에서 나는 꿀 먹은 벙어리 신세로 고등학교 생활을 시작했다. 그리고 그만 첫 영어 시험에서 시험지가 백지로 보이면서 결국 빵점을 맞고 말았다. 아니나 다를까, 다음 날 영어 선생님은 누나를 학교로 불러 교직 생활 30년 동안 백지 답안지는 처음 받아 본다면서 동생이 아무래도 '학습장애'가 있는 듯하다고 말씀하셨다. 나는 이제 춤꾼에서 학습장애아로 낙인 찍힌 것이다.

누나는 내 초등학교 시절의 어머니처럼 큰 상처를 입었고, 나는 너무 미안해서 죄지은 사람처럼 고개를 푹 숙이고 있을 수밖에 없었다. 우리 남매는 그날 집으로 돌아와 손을 잡고 펑펑 울며 하나님께 기도드렸다.

"하나님, 우리의 공부를 책임져 주세요. 우리의 대학과 진로를 책임져 주세요. 우리는 너무나도 무지합니다. 엉엉."

비록 미국에서의 첫 출발은 좋지 않았지만 결코 포기하지 않겠다고 결심했다. 아니, 오히려 그 사건은 나를 자극하면서 도전정신을 불러일으켰다. 나 사신에게 많이 실망하고 뼈아픈 좌절감을 맛보았기에, 스스로 공부에 대한 확고한 신념과 의지를 가질 수 있었다. 나 또한 다른 우등생처럼 공부를 잘하고 싶었고, 나를 학습장애아로 무시하던 콧대 높은 미국인에게 인정받으면서 미국 명문대학에 진학하고 싶었다. 이때부터 춤만 좋아하던 조현영의 모습은 찾아볼 수 없었다. 나는 이를 악물고 두 배 세 배 공부에 매진했다.

죄와 멀어지는 것이 그리스도인의 정체성

춤에 빠져 살던 초등학교 시절부터 미국 유학길에 오른 시점까지 나는 지극히 형식적인 그리스도인이었다. 성경을 숙독하고 밤이 되면 항상 가정예배를 드렸지만, 그 외의 시간에는 늘 TV 앞에 앉아 세상 문화와 벗하며 살았다. 열심히 교회에 다니면서도 때로는 목사님의 설교 말씀보다 인기 가수들의 공연에 더 많은 관심을 가졌고, 가요를 들으며 잠들곤 했다. 나의 반쪽은 교회를 섬기고, 나머지 반쪽은 세상과 벗하며 살았던 것이다.

"한 사람이 두 주인을 섬기지 못할 것이니 혹 이를 미워하며 저를 사랑하거나 혹 이를 중히 여기며 저를 경히 여김이라."마 6:24

'인간'과 '죄'는 떼려야 뗄 수 없는 유기체적 존재다. 죄는 인간을 지배하고 인간은 죄에 의해 길들여진다. 우리가 살고 있는 이 세상도 죄에 의해 길들여진 곳이라 해도 과언이 아니다. 세상에는 우리를 죄로 이끄는 수만 가지의 유혹이 있다. 이런 유혹은 우리를 죄로 이끌어 가는 윤활유 역할을 한다.

세상 가요는 나를 죄의 길로 들어서게 만든 윤활유였다. 십 분만 들어도 노랫가락이 귓가에서 맴돌고 정신이 혼미해져 기도하거나 성경을 읽을 때 전혀 집중할 수가 없었다. 가요의 가사들은 대부분 지극히 세상적인 얘기, 즉 사랑이나 이별, 사회 비판적인 내용으로 가득 차 있어서 신앙생활에 전혀 유익하지 않았다. 그러나 나는 그것을 멀리하기는커녕 오히려 동경했다. 머리로는 이러면 안 된다고 생각하면서도 내 몸과 마음은 어느새 세상 가요로 물들어 버렸다. 오히려 '회개하면 되지'라는 생각으로 나 자신을 합리화하고 세상과 타협했다.

우리는 우리의 '죄성'으로 인해 때론 세상의 쾌락과 벗하며 하나님에 대한 믿음이 없는 사람과 뒤엉켜 살아간다. 내가 체험적인 신앙생활을 하고 있다고 믿고 행하는 지금 이 순간에도 죄와 완전히 분리된 삶을 살고 있지 못함을 고백한다.

생각으로 짓는 죄, 입으로 짓는 죄, 행동으로 짓는 죄, 알고 짓는 죄, 그리고 모르고 짓는 죄 등 '죄성'은 자꾸만 나를 죄악의 길로 유혹한다. 물론 하나님을 인격적으로 만나고 체험적인 신앙생활을 시작한 이후에는 죄를 짓는 횟수가 확연히 줄었지만, 아직도 가끔씩 죄의 길로 발걸음을 옮기는 내 모습을 발견하고 망연자실할 때가 있다.

만약 죄의 길을 걸어가고 있다면 지금 즉시 하나님께 회개하고, 다시는 그 죄의 길로 돌아가지 말아야 한다. 하나님의 사람 다윗도 "하나님이여 나를 살피사 내 마음을 아시며 나를 시험하사 내 뜻을 아옵소서 내게 무슨 악한 행위가 있나 보시고 나를 영원한 길로 인도하소서"시 139:23-24라고 말하면서 늘 자신의 죄를 회개하며 주님께 엎드린 삶을 살았다.

성경 인물 중 믿음의 자녀들에게 특별히 귀감이 되는 사람은 단연 다윗과 요셉, 그리고 다니엘이다. 이 세 사람은 어린 시절부터 하나님께 온전히 자신의 삶을 드려 세상과 구분된 삶을 살았다. 하나님은 이 세 사람의 나이를 취하지 않으셨으며, 이들의 믿음과 의지를 보고 크게 사용하기 원하셨기에 국가의 존망을 책임지는 왕과 총리로 세우셨다. 그리고 이들에게 나라와 민족을 구원하는 역사를 베푸셨다.

세상과 구분된 빛과 소금의 삶

우리는 하나님께서 창조하신 세상이라는 터전에서 살아가고 있는 그리스도인이다. 아무리 세상이 악하고 혼탁하더라도 그리스도인은 세상과 분리되어 살 수 없다. 비록 우리는 세상과 분리되어 살지 못하지만 세상 사람과는 구분된 삶을 살아야 한다. 우리는 그 속에서 다양한 사람에게 본이 되는 빛과 소금이 되어야 할 것이다.

실제 삶의 현장에서 완벽한 그리스도인의 모습으로 살아간다는 것은 결코 쉬운 일이 아니다. 세상이라는 공간에서 다양한 사람과 부대끼며 지내다 보면 세상의 유혹에 쉽게 물들고 만다. 젊은이들은 학교를 졸업하고 직장생활을 시작하면서 사회에 첫발을 내딛게 된다. 세속적인 문화가 우리에게 끊임없이 도전하며 유혹의 손길을 보내는 이 세상에서 그리스도인의 정체성을 지켜 내기란 결코 쉬운 일이 아니다.

가장 쉬운 예가 바로 음주 문화일 것이다. 직장생활을 하거나 각종 사교 모임에 참석하면 빠지지 않고 등장하는 것이 술이다. 안타깝게도 세상 사람과 어울리며 그들의 문화에 적응하려면 술은 필수 요소다. 우리는 사회생활에 적응하기 위해, 세상 사람에게 이방인 취급을 당하지 않기 위해 그들과 술을 마시면서 다른 사람을 흉보고 시기하고 질투하며 악한 생각을 갖는 경우를 많이 보아 왔다.

이런 행위는 하나님께 속하지 않은 것이며, 결고 해시는 안 될 일이라는 사실을 잘 알고 있으면서도 이런 우리 자신을 변화시키기란 결코 쉽지 않은 일이다. 믿음이 부족해서, 현실의 벽이 너무 높아서, 혹은 게으르다는 등 많은 이유가 있겠지만, 가장 큰 이유는 바로 이런 유혹을 이겨 내려는 우리의 지혜와 영성이 부족하기 때문이다.

다니엘은 세상을 이기는 믿음의 소유자였다. 그는 바벨론의 궁전, 즉 세속 문화의 중심에 살았지만 그리스도인의 정체성을 잘 드러냈을 뿐만 아니라 나중에는 바벨론을 통치하는 높은 지위에 올라 하나님의 귀한 사역을 감당했다. 다니엘처럼 세상 속에서 살되 세상과 구분된 삶을 살면서 그리스도인의 정체성을 자신이 속한 사회에 전파하는 것이 바로 승리하는 그리스도인의 삶이다.

지금 세상과 구분된 삶을 살고 있지 않다면, 당장 회개하고 하나님께 지혜와 깊은 영성을 간구해야 할 것이다. 하나님은 "너희는 이 세대를 본받지 말고 오직 마음을 새롭게 함으로 변화를 받아 하나님의 선하시고 기뻐하시고 온전하신 뜻이 무엇인지 분별하도록 하라"롬 12:2고 말씀하신다. 하나님은 세상과 구분된 삶을 사는 믿음의 자녀를 사용하기 원하신다.

02

믿음의 유산, 어머니

기도로 태어난 아들

"너는 두려워 말라 내가 너를 구속하였고 내가 너를 지명하여 불렀나니 너는 내 것이라." 사 43:1

우리집은 사람들이 흔히 말하는 기독교 가정이다. 내 삶에 신앙적으로 가장 큰 영향을 끼친 분은 다름 아닌 어머니다. 어머니 역시 기독교 가정에서 나고 자라면서 어려서부터 기독교 정신이 몸에 배어 어느 누구보다도 독실한 그리스도인의 삶을 살고 계신다.

어머니는 아버지와 결혼한 후 첫 딸을 낳으셨다. 작고 귀여운 딸을 바라보며 어머니는 주체할 수 없는 뿌듯함과 기쁨에 넘쳐 하나님께 감사 기도를 드렸다. 그런데 그로부터 얼마 지나지 않아 어머니는 자신도 모르게 이런 기도를 하셨다고 한다.

"하나님, 저에게 이렇게 귀한 딸을 주셔서 감사합니다. 이제는 제게 아들을 허락하여 주옵소서."

예쁜 딸을 보며 기쁨의 감사 기도를 드렸건만, 어머니의 마음 한 구석에는 벌써부터 둘째 아이를 소망하는 마음이 자리 잡고 있었던 것이다. 첫째는 딸이니 둘째는 아들이면 좋겠다는 어머니의 간절한 바람에서 나온 기도였다. 이미 어머니의 마음속에 갈망하는 바가 생긴 것이다. 어머니는 하나님의 아이로 키울 아들을 소원하면서 그 후로 하늘 문을 두드리는 기도를 올렸고, 2년 후 나는 세상의 빛을 보게 되었다.

어머니는 내게 "현영아, 너는 엄마가 기도로 낳은 아이란다. 그래서 니는 특별해. 엄마가 하나님께 받은 기도의 응답이니까"라고 자주 말씀하시면서 어린 시절부터 내가 얼마나 귀한 사람인지를 머릿속에 각인시켜 주셨다. 하나님이 허락하고 택하신 아들이라는 믿음을 심어 주신 것이다.

어머니의 간절한 기도로 태어난 내가 '하나님께 택함받은 자'라는 사실은 힘든 일을 겪을 때뿐 아니라 삶을 살아가는 매 순간마다 큰 힘이 되었다. 이는 내 삶의 원동력이라 해도 과언이 아닐 정도로 큰 힘이었다. 만약 어려서부터 하나님 말씀을 믿고 의지하는 어머니의 기독교식 가르침이 없었다면, 나는 결코 학창 시절에 신앙생활을 유지하지 못했을 것이다.

"너희가 나를 택한 것이 아니요 내가 너희를 택하여 세웠나니 이는 너희로 가서 과실을 맺게 하고 또 너희 과실이 항상 있게 하여 내 이름으로 아버지께 무엇을 구하든지 다 받게 하려 함이니라."요 15:16

우리는 하나님께 속한 그리스도인이다. 든든한 하나님 사랑의 울타리 안에서 왕의 자녀가 된 우리에게는 전혀 두려울 것이 없다. 우주 만물을 창조하신 창조주 하나님은 형언할 수 없이 아름다운 이 세상의 주인이시고, 더 나아가 온 우주의 왕이시기에 매사에 기도로 하나님께 간구하고 노력한다면 그분은 우리에게 이 세상 모든 것을 누릴 수 있는 특권을 주실 것이다. 우리 모두는 하나님의 선택받은 자녀다.

어머니만의 특별한 하나님식 자녀 교육법

어릴 때 친구 집에 놀러 가면 내 눈에 가장 먼저 들어오는 것이 책장에 즐비한 온갖 백과사전과 동화책이었다. 소년소녀세계명작 전집 정도는 한 집에 한 질씩 구비하고 있을 때였다. 그러나 어머니는 누나와 내게 흔한 동화책 한 권을 사 준 적이 없으셨다. 주변 사람들이 자녀 교육에 관한 열변을 토하며 여러 가지 교육법과 동화책을 추천해 줘도 막상 서점에 가면 살 마음이 생기지 않았다고 말씀하셨다. 다양한 교육 시스템이나 책을 사는 데 드는 물질을 차라리 아이들 이름으로 주님께 봉헌하는 것이 마음 편했던 어머니는 지금 생각해도 참 별난 분이셨다.

당신 자신의 삶의 뿌리가 하나님께 있기 때문에 신앙 교육만큼은 어려서부터 철저해야 한다는 것이 어머니의 지론이셨다. 어머니는 지금도 이런 생각에 변함이 없다고 말씀하신다. 아버지가 출근하시고 나면 어머니는 우리 남매와 손뼉 치며 찬양하고, 하나님에 관해, 예수님에 관해, 성령님에 관해 대화하느라 바쁘셨다. 모태 신앙인 사람은 미지근한 신앙생활을 하는 경우가 많다. 그러나 어머니는 우리 남매가 차지도 덥지도 않은 믿음을 가지길 원치 않았기 때문에 하나님에 관해 더욱 정열적으로 증거하셨다.

뿌리 깊은 신앙의 가정에서 태어난 어머니에게 새벽예배는 지극히 자연스러운 일상이었다. 한번은 새벽예배에 함께 갔던 외할머니로부터 "나는 죽을 때 기도하며 죽는 게 소원이다"라는 말씀을 들으셨다고 한다. 이런 신앙이 뒷받침되어 4대째 그리스도인 가정에서 자란 어머니는 하나님께 기도드리는 일을 삶의 큰 기쁨으로 여기신다.

　어머니는 말씀 속에서 만난 주님이 너무 감사해서 우리 남매와 24시간 그 기쁨을 나누기 원하셨다. 이런 믿음의 유산은 그대로 누나와 나에게 전해졌고, 지금까지 우리 가족은 하나님께 참된 가정 예배를 드리고 있다.

　모태 신앙인 나는 어릴 적부터 어머니 손에 이끌려 교회 생활을 했다. 어린 시절 내 기억 속의 어머니는 우리 남매를 데리고 교회에서 꽃꽂이로 봉사하시고, 주일학교 고등부 교사로서 항상 형과

중계 충성교회 '어머니 기도회'에서 특강하며 어머니의 기도에 대한 중요성을 강조하고 있다.

누나들을 가르치고 맛있는 것을 사 주던 분이었다.

초등학교 시절, 누나와 내가 주일날 교회에 가지 않는다는 것은 어머니의 상식에서는 용납할 수 없는 일이었다. 어머니는 우리 남매에게 아무리 중요한 학교 행사나 가족 모임이 있어도 반드시 주일을 지키도록 가르치셨다. 이런 어머니의 가르침으로 나는 초등학교 때 딱 한 번 교회를 빠졌을 뿐이다. 당시 몸을 제대로 가누지 못할 정도로 심하게 아파서 교회에 가지 못했던 것이다. 그러나 나는 주일날 교회를 빠진 것이 엄청난 죄라고 느꼈고, 한동안 큰 죄책감에 시달려야 했다.

지금 생각해도 어머니의 자녀 교육법은 대단한 것이었다. 일찍부터 우리에게 하나님께 선택받은 자녀라는 사실을 일깨워 주시고, 하나님의 말씀 속에서 누나와 나를 양육하신 신앙이 바로 어머니만의 독특한 자녀 교육법이었다. 그리고 하나님은 이 같은 어머니의 믿음을 보고 두 자녀의 삶을 책임져 주신 것이다.

눈물의 기도로 맺은 열매

세상이 고요히 잠든 시간에도 어머니는 '내가 지금 이렇게 자고 있을 때가 아닌데, 깨어서 기도하자'라는 생각으로 밤을 밝히셨다. 어머니는 우리 남매가 어릴 적부터 기도로 새벽을 깨우셨다. 골방에서 들려오는 어머니의 기도 소리에 잠에서 깨곤 했던 나는 우리 남매를 위한 어머니의 기도를 들으면서 나태해진 신앙을 다잡을 수 있었다.

내가 미국에서 유학하고 있을 때의 일이다. 어느 추운 날, 새벽 예배를 드리고 집으로 돌아온 어머니는 내 방에 들어오셨다. 어머니는 곤히 자고 있는 내 몸에 손을 얹고 나지막하게 기도하셨다. 아직 찬기가 가시지 않은 어머니 손에 잠이 깬 나는 무의식중에 어머니의 기도 소리를 듣게 되었다.

"하나님, 이 아들을 주님께 올려 드립니다. 이 아들이 공부할 때 지혜를 내려주시옵고, 이 아이가 무엇을 하든 주님의 영광이 나타나게 하옵소서!"

비록 무의식중에 들었지만 어머니의 기도에는 왠지 모를 힘과 간절함이 배어 있었다. 어머니는 자신만의 특별한 자녀 교육법을 갖고 계셨으며, 두 자녀를 위해 기도로 제단을 쌓으셨다. 그리고 그 제단은 우리 삶에 축복의 열매가 되어 주었다.

대학 시절 여름방학 때 한국에 잠시 나와 있던 나는 어느 교회의 집회에 참석했다. 미국에서 오신 한 흑인 목사님이 인도하는 집회였다. 뜨거운 집회의 열기 속에 어머니와 우리 남매는 하나님의 은혜를 구하는 기도를 드렸고, 간절한 마음으로 집회 기간을 보냈다. 집회 마지막 날, 그 흑인 목사님은 하나님의 뜻에 따라 성도 한 명한 명을 강단으로 불러내어 구체적인 예언기도를 해 주셨다. 나도 예언기도를 받고 싶었지만 그날 집회에 참석한 성도가 너무 많아 전혀 기대를 하지 않았다.

그런데 기적처럼 목사님과 눈이 마주쳤고 그 분은 나를 가리키며 강단 위로 올라오라고 하셨다. 세상에 태어나 단 한 번도 제비뽑기 같은 것에 뽑혀 본 적이 없는 나로서는 신기할 따름이었다. 나는 조금도 지체하지 않고 강단 위로 올라가 목사님 옆에 섰다. 교회 안에 있던 모든 성도의 눈이 일제히 나에게 집중되었는데, 그들의 얼굴에는 조금 전 나처럼 부러운 기색이 역력했다. 잠시 후 목사님은 나를 위한 예언기도를 시작하셨다. 영어를 알아듣지 못하는 성도를 위해 통역하는 분도 따로 있었다.

"사랑하는 나의 아들아, 내가 너를 택하여 사용하길 원하노라."

순간 가슴이 벅차올랐다. 하나님의 택하심을 입는 특권을 누리게 된 것에 감사를 드렸다. 나는 마음속으로 '하나님, 저를 택해 주셔서 정말로 감사드립니다'라고 속삭였다. 목사님의 예언은 계속 이어졌다.

"두려워 말라. 나는 너와 지금까지 함께해 왔고 앞으로도 항상 너와 함께할지니라. 네가 나를 위해 고독한 싸움을 할 때 나는 너와 함께 가슴 아파했고, 네가 나 때문에 눈물 흘릴 때 너와 함께 눈물을 흘렸단다."

질끈 감은 내 눈에서는 눈물이 흐르기 시작했다. 하나님을 위해 세상을 멀리하려고 노력했던 학창 시절이 뇌리를 스쳤기 때문이다. 체험적인 신앙생활을 실천하기 시작했던 고등학교 시절, 나는 세상과 구분된 삶을 살기 위해 따돌림을 감수하고 세상 친구들과 거리를 두고 지냈다. 하나님을 믿고 따르면서 지칠 때도 있고 고독한 싸움을 해야 할 때도 많았다. 그러나 나는 하나님을 믿었기에 세상 친구들이 모두 파티에 가서 신나게 놀며 스트레스를 풀 때, 조용히 집으로 돌아와 성경을 읽으며 공부했다.

그리고 세상 친구들이 술집에 가서 수다를 떨며 우정을 다질 때, 나는 이를 뿌리치고 내 방에 홀로 남아 찬양을 들으면서 외로움을 달래야 했다. 이때도 하나님이 나와 함께 계셨단 말씀을 들으니 가슴 속에 자리 잡고 있던 응어리가 풀리는 듯 한없이 눈물이 쏟아져 내렸다.

"내가 너에게 아비의 마음을 주리라. 너는 억눌린 나의 많은 자녀를 품을지어다. 너를 그들에게 꿈과 희망을 주는 축복의 통로로 사용하기 원하노라. 너는 나를 증거하는 책을 쓰게 될 것이며, 그 책을 읽는 나의 자녀들 또한 내가 축복의 통로로 사용할지니라. 너는 전 세계를 돌아다니면서 나를 증거할 것이니라. 너를 통해 많은 사람을 구원하리라. 내가 너를 통해 요셉과 다니엘처럼 민족을 구원하는 역사를 일으키기 원하노라. 너는 나의 말씀을 삼가 듣고 내 안에 항상 거하라."

집회에 모인 수많은 성도는 "아멘! 아멘!"을 외치며 내게 선포

되는 수많은 축복의 말씀을 자신의 것으로 쟁취하려고 힘썼다. 나는 그때 제정신이 아니었고 눈에서는 하염없이 눈물이 흐르고 있었다. 그런데 갑자기 목사님이 나와 함께 집회에 참석한 어머니와 누나를 강단으로 부르셨다. 그러고는 어머니를 위해 예언기도를 하기 시작했다.

"사랑하는 나의 딸아, 내가 너를 택하여 자녀들을 양육시켰단다. 네가 자녀들을 위해 밤새워 눈물 흘리며 기도해 온 것을 내가 아노라. 이젠 그 기도의 열매를 네가 볼지니라. 이 아이들을 내가 축복의 통로로 사용하리라."

하나님은 눈물이 가득한 어머니의 기도를 온전히 받으셨고, 그에 대한 보답으로 우리를 축복의 통로로 사용하신다고 확언해 주셨다.

"구하라 그러면 너희에게 주실 것이요 찾으라 그러면 찾을 것이요 문을 두드리라 그러면 너희에게 열릴 것이니 구하는 이마다 얻을 것이요 찾는 이가 찾을 것이요 두드리는 이에게 열릴 것이니라."마 7:7-8

기도의 힘은 실로 놀랍다. 기도는 하나님과의 영적인 대화이고 하나님의 마음 문을 열 수 있는 유일한 열쇠이기도 하다. 나는 이런 기도의 힘을 어머니의 삶을 통해 실감했고, 어머니의 기도로 지금까지 많은 축복을 누려 왔다. 어머니는 내게 세상 그 어떤 것과도 바꿀 수 없는 믿음의 유산을 남겨 주셨다.

하나님은 그분의 자녀들이 세상과 구분된 삶을 살기 바라신다. 빛과 어둠이 결합될 수 없듯, 하나님께 속한 우리는 세상과 타협할 수 없는 존재임을 기억하고 믿음 안에 거해야 한다.

03

하나님의 원대한 비전을 그려라

"제 동생은 하버드에 진학할 거예요!"

나를 학습장애아로 여기던 미국 선생님께 누나가 당당히 외친 말이다. 지극히 현실주의자이던 그 선생님은 누나의 말에 어이없어 하며 "Impossible(불가능)!"이라고 딱 잘라 말씀하셨지만, 누나는 하나님이 나를 도와주실 것이라고 굳게 믿었다.

누나를 따라 미국으로 오게 된 것은 넓은 세계에 대한 막연한 동경 때문이었다. TV나 영화를 통해 본 미국은 대단해 보였고 꼭 한번 도전해 보고 싶은 나라였다. 기대 반 두려움 반이었지만 "가나안 땅으로 떠나라!"고 말씀하신 하나님의 응답이라도 받은 것처럼 나는 무작정 미국행 비행기에 올랐다.

누구든 마찬가지겠지만 나 또한 어릴 적부터 수많은 꿈을 꾸며 살아왔다. 춤을 추는 것이 마냥 행복하던 시절에는 한국 최고의 댄스 가수가 되는 것이 꿈이었고, 유학을 떠날 때는 능력 있는 경제인이 되어 세계 경제를 좌지우지하는 사람이 되어야겠다는 꿈을 꾸었다.

이런 원대한 꿈을 이루기 위해서는 반드시 미국 명문대에 진학해야 한다고 생각했다. 그래서 결심한 1차 목표가 바로 세계 최고의 대학인 하버드, 예일, 스탠포드, 프린스턴, MIT 등 미국 명문대학에 진학하는 것이었다. 비록 나는 춤추기만 좋아하는 열등생이지만, 하나님을 믿고 의지한다면 내게 불가능한 일은 없다고 믿었다.

돌이켜 보면, 당시 내가 가지고 있던 실력에 비해 불가능할 정도로 큰 꿈을 품었기에 그만큼 고통의 시간도 길었다. 평소 책상에 앉아 있던 시간보다 TV를 보며 춤을 춘 시간이 훨씬 길었던 나에게 장시간 책상에 앉아 공부하는 것은 뼈를 깎는 고통이었다. 거의 백지 상태나 다름없던 내 영어 실력과 학습 태도를 변화시키기란 여간 어려운 일이 아니었다.

그리고 미국 생활에서 필수인 영어는 그곳에서 나고 자란 아이들에 비해 턱없이 부족해서 교과서를 읽는 데도 다른 학생보다 두세 배의 시간이 걸렸다. 또한 벼락치기로 일관하던 공부 습관이 미국에서 통하지 않는 것은 당연한 일이었다. 고작 한 시간 공부해 놓고 TV가 보고 싶어 안절부절못하고 두 시간이 채 지나기 전에 졸음이 쏟아졌다. 그러나 나는 뚜렷한 목표가 있기에 나약해지려는 나를 하루하루 채찍질하며 목표를 향해 달려 나갔다.

소망하고 믿음의 눈으로 바라보라

만약 자신의 꿈과 이상이 불가능해 보일 만큼 크다면 하나님께 기도로 매달리며, 하나님 마음에 흡족할 정도의 노력과 의지를 보여야 한다. 무엇이든 노력 없이 거저 얻으려고 하지 말라. 자신이 소망하는 것이 비록 꿈과 같을지라도 이루어지지 말라는 법은 없다. 다만 그만큼의 대가를 치러야 한다. 자신이 바라는 만큼 하나님께 절실히 기도드려야 함은 물론이거니와 그만한 노력이 뒤따라야 한다.

세상 어느 것 하나 거저 오는 것이 없듯, 우리는 하나님을 믿고 의지하며 간구해야 한다. 아무런 노력도 하지 않고 '하나님은 내 기도에 응답해 주시지 않아, 이건 이루어질 수 없는 꿈이야'라고 단정 짓는 것만큼 슬픈 일은 없다. 또한 자신은 노력하지 않고 꿈과 이상의 좌절을 하나님의 탓으로 돌린다면 그것은 큰 욕심이며 자만이다.

"믿음은 바라는 것의 실상"[히 11:1] 이라고 말씀하신 하나님, 그 하나님은 자녀들이 커다란 소망을 품기 바라신다. 소망 없는 믿음이 존재할 수 없듯 하나님은 우리가 소망하는 것을 믿고 도전하길 원하신다.

인생은 누구에게나 공평하게 단 한 번만 주어진 소중한 기회다. 인간의 평균 수명이 80세 정도이고 앞으로 더 늘어난다 하더라도 우리의 삶을 인류 역시에 비추이 보면 고작 한 점에 불과하다. 이 시간 우리가 하고자 하는 가치 있는 일을 모두 하고 죽기에는 짧은 인생이 아닐 수 없다. 그러기에 하루도 멈추어 설 시간이 없다. 우리가 간구하며 전진할 때 하나님은 우리의 믿음과 노력을 보고 소

CGN TV 〈세상 속 희망이야기〉에 출연해 이태희 목사님과
아나운서 진양혜 집사님과 함께 유학 시절 이야기를 나누었다.

망을 이루어 주실 것이다. 하나님은 '플러스 알파'가 되는 분이시다. 우리가 원하는 것 이상으로 부어 주시는 분이 바로 하나님이다.

　소망과 기도는 구체적일수록 좋다. 자신이 소망하는 바를 구체적으로 그리면서 기도하라. 자신이 소망하는 것을 노트에 상세하게 적어 놓고 기도하는 것도 좋은 방법이다. 하나님께서 나의 모든 생각을 주관하시니 뭉뚱그려 기도해도 된다는 안일한 태도를 취해서는 안 된다. 하나님은 우리가 소망하는 목표를 놓고 구체적으로 조목조목 고하길 바라신다. 그러므로 하나님의 역사하심을 기대하고 믿음의 눈으로 바라보라.

04

십일조의 놀라운 비밀

열 배, 백 배의 축복

인류 역사상 최고의 부자로 기록된 석유왕 존 데이비슨 록펠러(John Davison Rockefeller, 1839-1937)의 재산을 현 시세로 계산하면 빌 게이츠의 세 배에 달하는 것으로 추정된다고 한다. 그는 가난한 가정에서 태어나 자수성가해서 억만장자가 된 입지전적인 인물이다. 록펠러는 어린 시절부터 독실한 그리스도인인 어머니를 통해 절저한 신앙 교육을 받으며 성장했고, 학교에 들어가기 전부터 98세를 일기로 이 세상의 삶을 마감할 때까지 한 번도 빠짐없이 수입 중 10분의 1을 온전히 하나님께 드렸다고 전해진다.

어머니도 나에게 어린 시절부터 십일조의 중요성을 일깨우며 이를 습관화하도록 애쓰셨다.

"네 용돈 중 10분의 1은 하나님의 것이란다. 무슨 일이 있어도 십일조만큼은 하나님께 온전히 드려야 한단다. 그러면 그것이 너의 삶에 열 배, 백 배의 축복으로 돌아올 거야."

어머니의 가르침으로 나는 지금까지 단 한 번도 십일조를 어겨 본 적이 없다. 십일조는 내게 선택 사항이 아니라 당연히 해야 하는 습관과도 같은 것이다.

내가 처음 경험한 십일조의 축복

고등학교 때 교회에서 예배를 드리던 어느 날, 어김없이 헌금 시간이 돌아왔다. 지갑을 열어 보니 5달러가 들어 있었다. 돈을 꺼내려던 순간 멈칫했다. 지갑 안에 있던 5달러는 내 용돈의 전부였기 때문이다.

지갑을 여닫으며 고민하고 있는데, 어느새 헌금 바구니가 내 손에 들려 있었다. 나는 하나님의 전능하심을 확신하며 5달러를 꺼내 헌금 바구니에 넣었다. 하나님을 위해 믿음의 결단을 내린 내가 자랑스러웠지만, 당분간 돈 한 푼 없이 생활할 생각을 하니 막막한 기분이었다.

　그날 저녁 어머니로부터 뜻밖의 전화를 받았다. 아직 용돈 받을 날이 며칠 남았음에도 불구하고 용돈이 다 떨어졌을 것 같아서 내게 50달러를 보내시겠다는 전화였다. 순간 내 머릿속을 스치는 건 딱 한 가지였다. 십일조를 온전히 드리면 내 삶에 열 배, 백 배의 축복으로 돌아온다는 어머니의 말씀이었다. 내가 가진 전부였던 5달러를 내어 드리고 정확하게 그 열 배인 50달러를 받게 된 것이다. 정말 놀라웠다. 이 일은 내가 경험한 십일조의 첫 번째 놀라움이었다.

　하나님께 헌금으로 드린 5달러는 지극히 적은 액수일지 모르지만, 이는 내가 가진 용돈의 전부였다. 당분간 돈 한 푼 없이 생활할 수밖에 없는 상황이었지만 하나님에 대한 믿음으로 감수한 것이었다. 바로 그때 하나님은 나의 믿음, 곧 중심을 보셨던 것이다. 그리고 50달러를 되돌려 주심으로써 나에게 십일조의 중요성을 확신하도록 해 주셨다.

　하나님이 주신 놀라운 기적을 체험했던 그날, 나는 더 큰 축복을 내려주시길 바라면서 앞으로 하나님께 10의 2조를 드리기로 결심했다. 어린 시절부터 받아 온 어머니의 신앙 교육을 통하여 오늘날까지 물질에 있어서 하나님께 인색하지 않은 지혜를 실천해 올 수 있었다.

하나님과 우리를 연결해 주는 축복의 나무

대학교에 진학하고 나서 나는 한국의 한 장학재단에서 전액 장학금을 받게 되었다. 이는 하나님이 주신 큰 선물과도 같은 축복이었다. 당시 내가 받은 장학금은 졸업할 때까지 학비와 생활비를 모두 충당하고도 남을 만큼의 큰 액수였다. 미국 대학의 학비는 상당히 큰 금액이라 부모님께 죄송한 마음이 들었는데, 장학금을 받음으로써 조금이나마 그 짐을 덜어 드릴 수 있어 얼마나 감사했는지 모른다.

하나 둘씩 하나님의 축복을 경험하면서 나는 점차 더 많은 축복을 간구하기 시작했다. 마치 야곱이 더 큰 축복을 받기 위하여 천사와 씨름했던 것처럼 나도 야곱과 같은 욕심을 내기 시작한 것이다. 그래서 대학에 입학하면서부터 실천한 것이 10의 3조였다. 당시 틈틈이 과외 아르바이트와 미국 회사에서의 인턴십을 통해 큰 액수의 용돈을 모을 수 있었는데, 월급을 받아 가장 먼저 한 일이 바로 하나님께 헌금을 드리는 것이었다.

대학 시절부터 꾸준히 실천해 온 10의 3조 헌금은 하나님을 향한 내 믿음의 증표가 되었다. 내가 하나님께 드리는 기쁨은 더 큰 축복이 되어 돌아왔고, 이는 내가 하나님을 믿고 의지하는 방식이 되었다. 금전적인 어려움 없이 이렇게 온전한 기쁨으로 10의 3조를 드릴 수 있는 축복을 내려주신 하나님께 나의 온 마음을 바쳐 감사

드렸다.

이런 나에게 하나님은 말로 형언할 수 없는 큰 은혜를 베풀어 주셨다. 그것은 바로 나의 첫 책인 『나는 한국의 가능성이고 싶다』의 출간이었다. 한 출판사의 제의에서 시작된 은혜는 책이 출판된 이후까지 계속되었다. 6개월의 집필 기간에 나는 온전히 하나님의 영에 이끌려 글을 썼고, 하나님은 매 순간 내 생각과 펜을 잡고 있는 내 손끝을 주관하셨다. 하나님의 크나큰 도우심으로 내 유학 수기가 담긴 책이 무사히 탄생할 수 있었고, 얼마 지나지 않아 베스트셀러가 되는 영광까지 누리게 되었다.

"하나님, 제가 무엇이기에 저처럼 부족한 자를 들어 세우셔서 이렇게 많은 축복을 누리게 하시나이까. 저는 주님이 주시는 축복을 감당하기조차 힘이 드나이다."

나는 내 삶에 일어나는 하나님의 기적이 때때로 감당할 수 없을 만큼 버거울 때도 있다고 하나님께 털어놓는다. 그때마다 하나님은 내게 놀라운 비밀을 말씀해 주시곤 한다. "네 보물 있는 그곳에는 네 마음도 있느니라"^{마 6:21}는 말씀처럼 하나님께 온전히 내가 가진 물질을 드릴 때 하나님이 그 충성된 마음을 받으신다는 것이다. 나는 하나님이 주신 은혜에 더욱 감사해하며, 자칫 자만하기 쉬운 내 마음의 겸손을 위해 기도했다.

『나는 한국의 가능성이고 싶다』가 세상에 알려지기 시작한 후 나는 이전보다 더 큰 금전적인 축복을 누리게 되었다. 나는 어린 시절부터 검소한 아버지의 모습을 보며 자랐기 때문에 물건을 낭비하거나 쓸데없는 곳에 돈을 지출하지 않아 평소 큰돈이 필요하지 않았다. 오히려 돈을 많이 가지고 있으면 내게 탐욕의 영이 들어오지나 않을까 두려웠다. 그래서 나는 이 돈을 큰 은혜를 베풀어 주신 하나님께 내어 드리기로 결심하고 수입의 절반, 곧 10의 5조를 바치기로 결심했다.

이 결심을 들은 어머니는 처음에 나를 만류하셨다. 내 생활비에 적지 않은 타격을 줄 수도 있겠지만, 무엇보다 무리한 헌금이 혹시 앞으로의 내 신앙생활에 부담이 되어 시험에 들지 않을까 하는 걱정 때문이었다. 나는 일단 어머니의 말씀에 따르기로 했다.

그로부터 2주일이 지난 후, 어머니는 하나님께서 내 마음을 받기 원하신다는 기도의 응답을 받았다면서 10의 5조 헌금을 내어 드리도록 승낙하셨다. 나의 책이 세상의 빛을 보게 된 것도, 이를 베스트셀러로 만드신 이도 모두 하나님이시기에 책 출판을 통해 얻게 된 금전적인 축복의 반을 하나님께 드리는 것이 전혀 아깝지 않았다. 오히려 이런 큰 기쁨을 누릴 수 있도록 축복해 주신 하나님께 깊이 감사드렸다.

나는 내 헌금이 하나님께 온전히 상달되길 기도하면서 10의 5조

헌금을 지키고 있다. 내 수입의 10분의 1은 십일조로 내며, 나머지 10분의 4는 선교헌금을 통해 하나님께 바친다. 언젠가 지금의 이 믿음이 더욱 커져서 내 모든 수입이 하나님 나라의 확장에 쓰일 수 있는 날이 오리라 믿어 의심치 않는다.

나의 헌금이 세계 복음 전파를 위해 귀하게 사용되며, 세계 각국에 주님이 허락하신 교회와 선교센터를 짓는 데 사용되길 항상 기도하고 있다. 또한 하나님의 말씀을 전하기 위해 고국을 떠나 타지에서 힘들게 사역하고 있는 수많은 선교사를 지원하고, 나도 그들

이정희 PD와 CCM 가수 강찬 형제와 함께
『나는 한국의 가능성이고 싶다』가 발간된 후 극동방송의 〈클릭비전〉에 출연해 내가 누린 축복에 관해 이야기하는 시간을 가졌다.

과 함께 여생을 영혼 구원에 힘쓰고 싶다. 나는 하나님의 마음을 흡족하게 해 드릴 수 있는 사람이 되길 바란다. 그리고 중심을 하나님께 온전히 집중하기를 희망한다.

"용모와 신장을 보지 말라 내가 이미 그를 버렸노라 나의 보는 것은 사람과 같지 아니하니 사람은 외모를 보거니와 나 여호와는 중심을 보느니라."삼상 16:7

십일조의 비밀은 참으로 놀랍다. 십일조는 하나님과 우리를 연결해 주는 축복의 나무이다. 우리가 온전히 드린 십일조의 씨앗은 하나님의 땅에 뿌려져 싹을 틔우고 자라나서 결국에는 열매를 맺게 된다. 하나님을 믿고 의지하며 우리가 힘써 일해 번 돈을 기쁨과 감사하는 마음을 갖고 십일조로 드려야 한다. 그러면 그 씨앗이 움트고 자라나서 자신에게 차고 넘칠 만큼 많은 열매로 돌아올 것이다.

"만군의 여호와가 이르노라 너희의 온전한 십일조를 창고에 들여 나의 집에 양식이 있게 하고 그것으로 나를 시험하여 내가 하늘 문을 열고 너희에게 복을 쌓을 곳이 없도록 붓지 아니하나 보라."말 3:10

십일조, 이것은 바로 하나님이 택하신 참된 그리스도인만이 누릴 수 있는 특권이다. 어릴 때부터 십일조를 습관화하여 십일조의 축복을 누리기 바란다. 이것은 하나님이 지정하신 그리스도인이 축복의 통로가 되는 지름길이다.

05

가정예배의 힘

"나의 사랑하는 책 비록 해어졌으나 어머님의 무릎 위에 앉아서
재미있게 듣던 말 그때 일을 지금도 내가 잊지 않고 기억합니다.
귀하고 귀하다 우리 어머님이 들려주시던 재미있게 듣던 말
이 책 중에 있으니 이 성경 심히 사랑합니다."찬송가 234장

어린 시절 어머니와 누나와 함께 가정예배를 드릴 때마다 손뼉
을 치며 열심히 부르던 찬송이다. 잠자리에 들기 전 우리 가족은
언제나 가정예배를 드리며 하루를 마무리했다. 세상의 방법이 아
닌 하나님의 말씀과 법으로 자녀를 교육하고자 했던 어머니께 가
정예배는 양식보다 더 소중한 것이었다. 어머니는 항상 가정예배

란 하나님이 선택하신 가정만이 누릴 수 있는 특권이라고 말씀하셨다.

우리는 항상 찬양으로 예배를 시작했다. 찬송을 부르고 있노라면 은혜가 충만해지는 나 자신을 발견하곤 한다. 진정한 하나님의 기쁨이 무엇인지 맛볼 수 있는 소중한 시간이 아닐 수 없다. 찬송후에는 하나님의 말씀을 읽어 내려갔다. 어머니가 성경을 읽으며 특별히 감동받았던 말씀을 함께 봉독하고, 어머니의 설교를 귀담아들으면서 말씀을 묵상했다.

미국에서 누나와 단둘이 생활하면서 드린 가정예배는 내게 큰 힘이 되어 주었다. 첫 학기 첫 시험에서 빵점을 맞아 학습장애아 소리를 들었을 때도 우리 남매는 가정예배를 드렸다. 하루 일과를 하나님께 고히며 기도를 드리는 순간, 누나와 나는 북빈처 오르는 감정을 주체할 수 없어 펑펑 울면서 우리의 상한 심령을 하나님께 고했다. 감사하게도 하나님은 우리의 상심을 달래 주셨고 기도에 귀 기울여 주셨다.

어린 나이에 부모님과 떨어져 미국에서 생활하면서 여러 가지 유혹과 어려움이 있었지만, 나쁜 길로 빠지지 않고 오직 하나님과 학업에 전념할 수 있었던 것은 가정예배 덕분이라고 자신 있게 말할 수 있다. 이처럼 가정예배는 힘겨운 타지 생활을 이겨 나가는 데 큰 버팀목이 되어 주었다. 하나님이 우리를 언제나 지켜 주신다는 믿음이 있기에 그 힘은 배가 되었다.

"진실로 다시 너희에게 이르노니 너희 중에 두 사람이 땅에서 합심하여 무엇이든지 구하면 하늘에 계신 내 아버지께서 저희를 위하여 이루게 하시리라 두세 사람이 내 이름으로 모인 곳에는 나도 그들 중에 있느니라." 마 18:19-20

하나님이 기뻐 받으시는 것 중 하나가 바로 그리스도인의 참된 예배다. 하나님은 두 사람 이상이 모인 곳에 하나님의 영을 보내 그 무리에게 복을 주겠다고 약속하셨다. 교회에서는 물론이거니와 가정에서도 하나님을 예배하고 경외하는 것이 하나님이 예비하신 복의 근원이다. 이러한 이유로 하나님이 택하신 그리스도인 가정의 가정예배는 더 이상 선택 사항이 아니다.

세대가 점점 악해지는 요즘처럼 그리스도인의 가정에 가정예배가 절실히 필요한 때도 없다. 이제 우리는 교회뿐 아니라 가정에서도 하나님을 경외하며 말씀을 묵상해야 한다. 지금부터 가정예배를 생활화하자. 가정이 살아야 교회가 살고 교회가 살아야 나라가 산다는 사실을 마음속 깊이 새겨야 한다.

"여호와께서 집을 세우지 아니하시면 세우는 자의 수고가 헛되며 여호와께서 성을 지키지 아니하시면 파수꾼의 경성함이 허사로

다."^{시 127:1}

하나님이 세우지 않고 복을 내려주시지 않은 가정은 아무리 애를 써도 복된 가정이 될 수 없다. 하나님이 세우신 가정은 인간이 책임지기에 앞서 하나님이 먼저 돌아보고 많은 복을 내려주신다. 그리스도인의 가정은 하나님이 세우신 복의 근원지라는 사실을 확신하고 가정예배를 통해 더욱 튼튼한 집을 지어야 한다.

마태복음 7장 24절을 보면 하나님은 반석 위에 집을 지으라고 말씀하신다. 가정예배를 실천하는 가정은 매사에 화목하고 신앙의 뿌리가 흔들리지 않는다. 부모와 자녀가 매일 일정한 시간에 마주 앉아 하나님을 찬미하고 예배드릴 때, 부모는 사랑하는 자녀에게 세상에서 가장 값진 신앙의 유산을 물려주는 것이다.

Part 2

하나님의 지혜를
먼저 구하라

01

영어 빵점짜리 유학생

미국이란 낯선 땅에 첫발을 내디딜 때, 나는 중학교 3학년이었다. 영어에 대한 특별한 준비 없이 무작정 유학을 떠났던 나는 미국 고등학교에 입학한 후 몇 달간 벙어리 신세를 면치 못했다. 다른 아이들보다 학습 속도가 느린 것은 물론이고 하고 싶은 말도 표현하지 못하는 상황이었다. 시험에서 빵점과 낙제는 당연한 일이었다.

이런 나를 보며 몇몇 미국 아이들은 저능아라며 손가락질했고, 난생 처음 겪어 보는 서러움과 고국에 대한 그리움은 어린 나에게 감당하기 힘든 것이었다. 비록 준비가 부족했지만 한국에서 머뭇거리며 시간을 낭비하는 것보다 일단 와서 부딪혀 보자는 생각으로 유학길에 올랐는데, 큰 포부를 안고 온 미국에서 공부를 못한다고 무시당하는 것이 너무 슬펐다. 오기가 생긴 나는 그들에게 반드시 인정받고야 말겠다는 결심을 굳히게 되었다.

'내가 그들보다 공부를 뛰어나게 잘한다면 동양인일지라도 나를 인정하고 더는 무시하지 못하겠지.'

그들에게 인정받고 말겠다는 굳은 의지가 생기고 나자 공부에 대한 열의가 불타올라 이를 악물고 공부하기 시작했다. 공부하는 과정 자체는 결코 즐겁지 않지만 열심히 한 후에 돌아오는 결과는 그 어떤 것보다 달콤하다고 믿었다. 나에게 공부의 달콤함은 바로 미국 사람에게 더 이상 무시당하지 않고 인정받는 것이었다.

고생 끝에 낙이 온다는 말이 있듯이, 잠깐의 고생은 내 목표를 이루는 데 아무런 걸림돌이 되지 않았다. 공부는 자기 자신과의 고독한 싸움이라고 했던가! 나와 동행하시는 하나님이 계시기에 어떤 어려움도 이겨 낼 자신이 있었다. 이제 나는 예전의 춤짱 조현영이 아니라 우등생 조현영으로 다시 태어날 것이다.

학교를 마치기가 무섭게 집으로 돌아와 곧장 교과서를 펴고 책상 앞에 앉았다. 좋은 성적을 거두어 저능아라는 불명예를 씻어 내기 위해 예습과 복습을 철저히 했다. 그러나 나에게는 단기간에 극복하기 힘든 두 가지 문제가 있었다.

하나는 미국 생활을 시작한 후 이전보다 영어 실력이 늘긴 했지만 이곳에서 태어나고 자란 아이들과는 비교할 수 없는 실력 차이가 났다. 그들을 따라가려면 최소한 두세 배 이상의 시간과 노력을 들여야 했고, 이는 나에게 많은 인내심을 요구했다.

다른 하나는 초등학교 때부터 시험 기간에 벼락치기 공부만 해 왔기 때문에 공부 습관을 들이는 것이 쉽지 않았다. 책상에 앉으면 춤을 추고 싶은 생각에 엉덩이가 들썩거리기 일쑤였고, 30분도 되기 전에 졸음이 쏟아졌다. 나에게 장시간 앉아 꾸준히 공부하기란 여간 어려운 일이 아니었다. 지난날의 모습이 후회스러워 나는 곧바로 회개기도를 했다.

"하나님, 학생의 본분이 공부임에도 불구하고 저는 그 본분을 지금껏 다하지 못했습니다. 제게 주신 세상의 사명을 성실히 이행하지 못한 저를 용서하여 주옵소서."

학업에 전념하기 시작하면서 가혹하리만큼 나 자신을 채찍질해야 하는 처지가 너무 안타까웠다. 공부할수록 기본이 잡혀 있지 않음을 느꼈고, 내 지식이 바닥을 드러낼 때는 서럽기까지 했다. 이 순간만큼은 어릴 적부터 꾸준히 최선을 다해 공부한 주위의 우등생 친구들이 정말 부러웠다.

공부하다가 지치고 힘들 때는 이들을 생각하며 많은 자극을 받았다. 그러나 견딜 수 없을 만큼 힘이 들 때는 북받쳐 오르는 감정을 참을 길 없어 흐느껴 울어야만 했다. 가슴 속 깊은 곳에서 뭉클한 것이 치밀어 오르고 통제할 수 없는 슬픔이 순식간에 내 몸을 에

워싸는 듯했다. '조금만 더, 조금만 더…' 라는 내면의 목소리가 절규하듯 나를 끌어당겼지만, 내 몸과 정신은 점점 지쳐 가고 있었다. 힘들수록 한국에 있는 사랑하는 가족과 친구들이 그리웠다.

시간은 쏜살같이 흘러갔고, 어느덧 첫 학기 중간고사가 코앞으로 다가왔다. 학기 초반 영어 성적이 매우 저조했기에 이번 중간고사에서는 반드시 좋은 성적을 내겠다고 다짐하고 시험을 위해 몇 주 전부터 밤낮으로 공부에 매달렸다.

그때 내가 중간고사를 준비하면서 쏟아 부은 노력은 실로 놀라웠다. '이번 영어 시험에서는 꼭 A를 받으리라'는 목표를 세우고 열심히 기도하면서 어느 때보다 하나님께 진심으로 매달렸다.

눈 깜짝할 사이 중간고사 날이 되었다. 전날 밤 늦게까지 공부한 탓에 조금 피곤하긴 했지만 영어 시험을 위해 만반의 준비를 다했다고 생각해서 그런지 특별히 긴장하지는 않았다. 첫 시험은 학기 초 내게 빵점의 불명예를 안겨 준 영어 시험이었다. 백지로 보이던 그때와는 달리 한 문제 한 문제 꼼꼼하게 읽어 내려가며 답을 적기 시작했다. 무사히 시험을 끝낸 후 하나님께 감사기도를 드렸고 안도의 한숨을 내쉬었다.

다음 날 영어 시험 결과가 나왔다. 최선을 다했기에 내심 좋은 성적을 기대하고 있었는데, 시험 결과를 받아 든 내 손은 조금씩 떨리고 있었다. 100점 만점에 30점! 내 눈을 의심하지 않을 수 없었다. '정말 열심히 공부했는데, A를 받을 수 있을 거라 생각했는데 낙제 점수를 받다니.' 이번 영어 시험을 위해 몇 날 며칠을 밤새워 공부했던 나 자신이 너무 실망스러웠다.

중간고사 때 보았던 다른 과목 점수도 영어 시험과 다를 바가 없었다. 전 과목 A학점을 받으리라는 기대는 여지없이 무너졌고, 대부분의 과목에서 기대의 반에도 못 미치는 점수를 받고 말았다. 얼마 후에 본 기말고사 시험 결과도 중간고사와 별반 차이가 없었다. 내 자존심은 다시 땅에 떨어졌고, 더 이상 공부에 대한 의욕이 생기지 않았다.

나는 여전히 미국 친구들에게 저능아로 낙인 찍혀 있었다. 미국에 오기 전 품었던 큰 꿈이 연기처럼 사라져 버릴 것만 같았다. 그렇게 며칠을 끙끙 앓으며 무기력해져 갔고, 하나님이 나를 버리셨다는 생각이 들면서 내 삶에 서서히 어둠이 찾아오고 있다는 느낌을 지울 수가 없었다.

"하나님, 저는 한 학기 동안 정말 최선을 다해 공부했습니다. 그러나 대부분의 과목에서 낙제 점수를 받고 말았습니다. 이제는 책을 들 힘도, 연필을 쥘 힘도 없습니다. 더 이상 이 난관을 헤쳐 나갈 힘이 제게 남아 있지 않습니다."

나의 끊임없는 절규에도 불구하고 하나님은 특별한 응답을 주시지 않았다. 며칠 후 상심한 마음을 억누를 길이 없어 미국에 온 지 반 년 만에 공부를 포기하기에 이르렀다.

하나님을 믿고 의지하며 살더라도 때론 우리에게는 크나큰 시련이 닥친다. 특히 일이 자기 뜻대로 되지 않을 때나 시험이 찾아올 때 우리는 쉽게 포기하고 만다. 나 또한 마찬가지였다. '하나님, 제게 왜 이런 시련을 주시나이까?'라는 생각만 들었다. 하나님께 기도하고 매달리며 최선을 다했는데 결과는 절망적이었다.

안타깝게도 나는 학업에 대한 고통과 방황을 겪으면서 하나님의 참된 뜻과 교훈을 깨닫지 못했다. 나 자신에 대한 실망은 물론이고 하나님을 원망하기까지 했다. 아무리 열심히 공부해도 어떤 성과도 내지 못한 내 모습에 불평불만을 품었고, 결국 공부를 포기하겠다는 결심을 하게 된 것이다.

공부보다 음악을 사랑했던 시절

　미국에 도착한 지 얼마 지나지 않은 어느 날, 교회 한쪽 구석에 놓여 있던 베이스기타를 발견하고 느꼈던 설렘을 아직까지 잊을 수가 없다. 그동안 보아 왔던 일반 기타보다 좀 더 굵직해 보였던 베이스기타에 한눈에 반해 버리고 말았다.

　어릴 때 통기타를 배웠던 나는 베이스기타를 조심스럽게 집어 들고 연주를 하기 시작했다. 베이스기타가 내는 중저음의 깊은 소리는 내 심장을 울렸고 어머니를 졸라 저가의 베이스기타를 장만하기에 이르렀다. 베이스기타는 어느새 나의 가장 친한 친구가 되었고, 외롭거나 스트레스를 받을 때면 언제나 기타를 꺼내 들고 밤새도록 연주하며 위로를 얻곤 했다. 어렸을 때 한동안 춤에 쏟아 부었던 열정이 그대로 옮겨진 듯 베이스기타에 점점 빠져들기 시작했다.

다시 살아난 음악에 대한 열정

베이스기타에 소질을 보일 무렵 나는 공부보다는 음악에 더 큰 매력을 느꼈다. 이미 중간고사, 기말고사 시험 결과에 상심할 대로 상심했던 터라 공부에 대한 흥미는 시러졌고, 내가 쏟은 열정만큼 연주 실력이 늘어 가는 것을 보면서 나는 다시 도전의식과 성취감을 맛볼 수 있었다.

그 당시 베이스기타는 공부에 지친 나에게 기분 좋은 안식처가 되어 주었다. 저능아라고 놀리던 사람들도 나의 베이스기타 연주에는 환호를 보냈다. 어린 시절 한국에서 춤을 추며 받았던 사람들의 관심과 기대를 미국에서는 베이스기타를 통해 받을 수 있었다.

이처럼 베이스기타는 유학 생활 초반의 어려움을 이겨 나가는 데 큰 힘이 되어 주었던 반면, 내가 공부를 포기하기로 결심하는 데 결정적인 역할을 했다. 공부는 아무리 열심히 해도 낙제를 면치 못했는데, 베이스기타는 내가 열정과 노력을 쏟으면 쏟을수록 실력이 부쩍 늘어 갔다. 그 덕분에 학업의 실패로 맛본 좌절감과 상실된 자존심을 회복할 수 있었고, 내 인생을 음악에 맡겨 보자는 결심을 하기에 이르렀다.

당시 내 기도 제목은 미국 명문대학에 진학하여 세계를 주름 잡는 경제인이 되게 해 달라는 것에서 세계 최고의 뮤지션이 되는 것으로 바뀌었다. 나는 새로운 꿈에 대해 가족들에게 알렸다. 아버지와 누나는 음악에 너무 빠져 버린 나를 돌이킬 엄두가 나지 않았는지 확고한 내 의지를 받아들였다. 마지막으로 어머니 차례였다. 아버지와 누나에게 인정받은 터라 어머니에게 전화를 걸어 자신 있게 내 결심을 알렸다.

"어머니, 저 공부 그만두기로 결심했어요. 아무리 열심히 해도 전혀 능률이 오르지 않고 힘만 들어요. 아무래도 공부에 재능이 없나 봐요. 그런데 음악은 달라요. 제가 열심히 하면 할수록 실력이 부쩍부쩍 늘어요. 저는 음악에 소질이 있는 것 같아요. 어머니도 아시잖아요. 제가 음악을 할 때 얼마나 즐거워하고 행복해하는지 말이에요. 그래서 음악에 전념하기로 마음먹었어요. 꼭 세계 최고의 뮤지션이 되어 하나님께 영광을 돌릴 거예요!"

한동안 수화기에서는 아무 소리도 들리지 않았다. 어머니는 적잖이 놀라셨는지 아무 말도 하지 않으셨다. 어린 시절부터 나에게 많은 기대를 걸었던 어머니께 이런 내 결심은 청천벽력과도 같았던 것이다. 어머니는 하나밖에 없는 아들이 열심히 공부해서 미국 명문대학에 진학하기를 간절히 바라고 기도하셨는데, 그런 아들이 음악을 하고 싶다면서 공부를 포기하겠다고 하니 얼마나 상심하셨을지 모르는 바는 아니었다. 잠시 후 전화기 저편에서 어머니의 대답이 들려왔다.

"현영아, 공부를 포기하기엔 너는 아직 너무 어리단다. 학생의 본분은 공부야. 하나님이 학생인 너에게 주신 세상의 사명이기도 하지. 너는 하나님이 네게 허락하신 공부의 재능을 아직 발견하지 못한 것뿐이란다. 네가 간절히 구하면 분명히 하나님이 너에게 공부의 재능을 부어 주실 거야."

어머니의 생각은 단호하셨다. 하지만 이미 어느 정도 반대를 예상했기에 나는 어머니를 꼭 설득하고야 말겠다는 오기가 생겼다. 그만큼 나는 공부를 포기하고 음악에 전념하겠다는 생각이 확고했던 것이다. 그날 이후로 어머니와의 냉전 속에 수많은 의견 충돌이 있었다. 하루가 멀다 하고 공부에 전념하라는 어머니와 음악을 하겠다는 나 사이에 실랑이가 벌어졌다.

음악으로 인한 갈등

그 무렵 여름방학이 시작되어 3개월 동안 한국에 머무르게 되었다. 그 기간에 나는 음악하는 친구를 사귀기 시작했고, 공연장을 찾아다니면서 음악에 대한 열정을 마음껏 발산했다. 나는 여느 뮤지션처럼 머리도 길게 길러서 외모적으로는 제법 프로 뮤지션다운 모습을 갖추었다.

공연장에서 매일같이 밤늦게 돌아온 아들을 잠들지 않고 기다리던 어머니는 안타까운 마음으로 나를 바라보셨고, 음악을 그만두고 다시 공부를 시작하면 안 되겠느냐고 애원하셨다. 그러나 나는 어머니의 애원에는 아랑곳하지 않은 채 더욱 음악에 빠져 들었고 때로는 모진 말로 어머니의 가슴에 못을 박기도 했다.

한국에서 보낸 3개월의 방학 기간은 눈 깜짝할 사이에 지나가 버리고 다시 미국으로 돌아갈 시간이 다가왔다. 나는 음악전문대학으로 유명한 미국 버클리 음대에 진학하겠다는 부푼 꿈을 안고 내 방에서 짐을 싸기

베이스기타를 연주할 때만큼은 온 세상이 내 것 같았다.

시작했다. 그때까지도 어머니는 공부를 포기한 아들의 모습이 못내 안타까우셨는지 표정이 어두웠다.

"현영아, 잠시 나와 봐. 미국으로 돌아가기 전에 하나님께 기도 드리자."

나는 하던 일을 잠시 멈추고 거실로 나왔다. 당시 내 진로 문제로 자주 다투었던 터라 어머니와 함께 기도하는 것이 약간 어색하게 느껴졌다. 그래도 이 시간만 지나고 나면 나는 다시 미국으로 돌아가 아무런 통제 없이 마음껏 음악을 할 수 있기에 내심 기뻤다. 잠시 후 어머니의 기도가 시작되었다.

"사랑의 하나님, 진심으로 감사합니다. 이 부족한 주의 종에게 이렇게 훌륭한 아들을 주시고 지금까지 잘 키워 주셔서 감사합니다. 이제 이 아들이 미국으로 돌아갈 시간이 되었습니다. 더이상은 이 어미가 옆에서 끼니를 챙겨 줄 수도, 이 아이 옆에서 기도를 해 줄 수도 없습니다. 지금은 누나도 다른 주로 대학 진학을 한 상태이기 때문에 이제는 이 아들 혼자 미국에서 자취 생활을 해야 합니다. 부디 이 아들에게 나쁜 일이 일어나지 않도록 눈동자처럼 보호해 주시고…"

어머니는 여기서 기도를 중단하셨다. 석 달 동안 자신의 간절한 기대와 달리 어긋나기만 하는 아들과 싸우느라 마음이 상하고 지친 어머니는 아들을 위해 기도하다가 지금까지 참았던 울분을 이기지 못하시고 끝내 목이 멘 것이다.

나는 눈을 살짝 뜨고 어머니를 바라보았다. 이미 어머니의 눈가에는 눈물이 맺혀 있었고, 한 방울 두 방울 볼을 타고 흘러내리기 시작했다. 그동안 힘들었을 어머니의 마음이 내게도 전달되어 죄송스러운 생각에 내 가슴도 찢어질 듯 아파 오기 시작했다.

시간이 지나 어머니의 눈물은 폭포수처럼 한없이 쏟아져 내렸고 더 이상 기도를 할 수 없는 상황에 이르렀다. 어머니는 우리 남매에게 늘 강인한 모습만 보여 주셨을 뿐 단 한 번도 자식들 앞에서 눈물을 보인 적이 없으셨다. 이때 나는 난생 처음으로 어머니의 눈물을 보았다. 애절하게 흘러내리는 그 눈물을 보며 이 못난 아들도 덩달아 북받치는 울음을 쏟아 냈다.

어머니와 한참을 울고 나서야 나는 공항으로 무거운 발걸음을 옮겼다. 내가 미국으로 떠나고 나면 아들을 그리워하며 매일같이 밤새워 눈물을 흘리실 어머니의 모습이 떠올라 공항으로 가는 버스 안에서 남몰래 눈물을 훔쳐야 했다. 그리고 마음속으로 굳게 다짐했다.

'지금은 비록 어머니의 마음에 상처를 안겨 드린 불효자이지만 머지않아 꼭 훌륭한 뮤지션이 되어 그동안의 실망과 아픔을 모두 보상해 드려야지.'

하나님의 뜻

다짐하고 또 다짐하면서 공항으로 발걸음을 재촉했다. 공항에 도착해 여권과 비행기 티켓을 가방에서 꺼내려고 하는데 아무리 찾아봐도 여권밖에 보이지 않았다. 그때야 책상 서랍에 비행기 티켓을 두고 온 것이 생각났다.

비행기 이륙 시간이 얼마 남지 않았다. 항공사 직원에게 아무리 내 사정을 설명해도 돌아오는 대답은 티켓 없이 탑승할 수 없다는 말뿐이었다. 나는 부득이하게 출국을 일주일 뒤로 미룬 채 어머니에게 전화를 걸어야 했다.

"잘됐다, 현영아. 이왕 이렇게 된 거 엄마랑 시골에 있는 기도원에 잠시 들어가 너의 진로를 위해 기도하자. 출국이 연기된 것도 하나님의 뜻일 거야."

갑작스러운 어머니의 제안에 고개를 갸웃거렸지만, 어차피 한국에 머무는 기간이 일주일 연장되었으니 바람도 쐴 겸 어머니와 시골에 있는 기도원에 가기로 했다.

"찬양받기에 합당하신 주님이시여! 다윗이 비파와 수금으로 주님께 찬양을 올려 드렸듯, 저 또한 음악으로 주님께 영광 돌리기를 원합니다. 저를 훌륭한 뮤지션으로 세워 주시기를 간절히 기도드립니다."

기도원에 도착한 첫날부터 하나님께 내 꿈을 위해 열심히 기도

했다. 기도를 하면 할수록 음악에 대한 내 열정은 불타올랐고, 하나님이 나를 뮤지션으로 크게 사용하실 것이라는 믿음이 생겼다. 기도원에서 3박 4일 동안 열심히 기도한 어머니와 나는 서울로 돌아갈 준비를 했다. 그곳을 떠나기 전 기도원 목사님께 인사를 하러 갔다. 우리를 환한 미소로 반긴 목사님은 나를 위해 축복기도를 해 주셨다. 그런데 목사님이 갑자기 기도를 멈추고 내게 이런 말씀을 하셨다.

"하나님이 현영이에게 예술의 달란트를 주신 것 같아. 하나님께서 영광받으시기 위해 현영이에게 예술적 감각을 부어 주신 거야. 하지만 하나님이 현영이에게 진정으로 원하시는 것은 예술보다는 학생의 본분인 공부라는 믿음이 들어."

나는 순간 깜짝 놀랐다. 목사님과 나는 기도원에서 몇 번 마주쳤을 뿐인데 목사님은 이미 내 고민을 잘 알고 계셨던 것이다. 옆에서 지켜보던 어머니도 깜짝 놀라시는 표정이었다. 목사님은 계속해서 말씀하셨다.

"지금 현영이가 하고 있는 공부는 바닥에 깊이 박힌 못을 하나둘 빼는 것처럼 아주 힘들고 고된 작업일 거야. 하지만 하나님은 현영이가 하나님을 의지하고 열심히 공부하길 바라고 계셔. 현영이가 하나님께 순종하며 공부를 계속한다면 분명 하나님이 도와주실 거야. 그리고 언젠가 현영이가 감당하지 못할 만큼의 축복이 네 삶에 내릴 거야. 그때부터 현영이는 하나님의 축복의 통로로 쓰임

받게 되는 것이지."

  목사님의 말씀을 들은 나는 머리를 한 대 얻어맞은 기분이었다. 수개월간 오직 음악만을 고집하며 공부를 포기하려고 했던 진짜 이유가 다시 공부를 시작하는 것에 대한 막연한 두려움 때문이라는 사실을 깨달았기 때문이다.

  미국에서 보낸 힘겨웠던 생활과 최신을 다해 노력했지만 절망적이었던 시험 결과가 원인이었던 것이다. 그 시험 결과로 인해 나는 큰 상처를 받았고, 열심히 공부해서 나를 비웃던 사람들에게 인정받겠다는 희망이 무너져 내린 것이었다. 그러나 사람들은 베이스 기타를 치는 내 모습에 환호를 보냈고, 음악에서는 그들의 인정을 받을 자신이 있었다. 그렇기 때문에 나는 공부를 포기하고 음악에 전념하려고 했던 것이다.

  나는 이것이 하나님의 뜻과는 다른 지극히 인간적인 나만의 생각이었다는 사실을 기도원 목사님을 통해 깨닫게 되었다. 또한 이것은 어머니가 나를 위해 수개월 동안 기도하신 눈물의 응답이기도 했다. 간절히 기도하는 어머니에게 하나님의 통찰력이 있었기에 나에게 무엇이 더 올바른 길인지를 누구보다 잘 알고 계셨던 것이다.

  내가 공부를 포기하고 뮤지션의 길을 걷겠다고 했을 때, 어머니는 이미 그 길이 하나님의 뜻이 아니라는 것을 영의 눈을 통해 알고 계셨다. 그러나 나는 인간의 의지와 욕망대로 진로를 결정했고, 어머니의 말씀에 전혀 귀를 기울이지 않았다. 기도를 하더라도 내 의지와 자아가 너무 강했던 탓에 하나님의 음성을 미처 듣지 못했고, 오히려 내가 원하는 것이 하나님의 뜻이라고 확신하기에 이르렀던 것이다.

어머니의 기도는 내가 하나님의 사명을 거스르지 않도록 지켜 주었음은 물론이고 다시 하나님의 사명에 따를 수 있도록 인도해 주었다. 하나님은 공부를 포기하고 오직 음악에만 전념하겠다는 내 강한 의지를 꺾으려고 비행기표를 집에 두고 오게 만드셨고, 출국 날짜를 일주일 뒤로 미루게 하셨다.

나는 예상치 못한 그 일주일의 시간 동안 기도원 목사님을 통해 하나님이 내게 주신 사명을 깨우치게 되었다. 만약 그때 어머니의 절실한 기도가 없었다면 하나님은 내 삶에 역사하지 않으셨을 것이고, 나는 지금 뮤지션의 길을 걷고 있을지도 모른다.

지금 돌이켜 생각해 보면, 내가 음악을 계속했더라도 하나님은 내 삶에 계획해 놓으신 뜻을 이루기 위해 다양한 수단과 방법으로 내 발걸음을 멈추게 하셨을 거라는 생각이 든다. 다행히 어머니의 간절한 기도 덕분에 하나님의 뜻을 깨우치는 시기가 앞당겨져 너무 늦지 않게 공부를 다시 시작할 수 있었다.

나에게 일어난 일련의 일을 보며 우연의 일치라고 말하는 사람도 있겠지만, 당시 내가 느꼈던 하나님의 만지심은 말로 형언할 수 없을 만큼 놀라운 것이었다. 그날 나는 인생의 새로운 전환점을 맞이했다. 열심히 해도 잘하지 못하는 공부를 다시 하기로 굳게 마음먹었고, 그렇게 애착을 가지며 열중했던 음악에 대한 열정을 내려놓게 되었다.

03

금식기도를 통해 얻은 하나님의 지혜

하나님께서 나를 축복의 통로로 사용하시겠다는 말씀을 새겨들은 나는 미국에 돌아와 한동안 포기하고 있던 공부에 전념하기 시작했다. 그러나 나는 여전히 중하위권의 성적을 받는 열등생이었고, 이런 성적으로는 미국에 오면서 꿈꾸었던 명문대학 근처도 갈 수 없으리라는 현실을 뼈저리게 느꼈다. 이는 기적이 일어나지 않는 한 도저히 불가능한 일이었다.

미국으로 돌아온 직후 나는 항상 성경말씀을 봉독하고 기도한 후에 공부를 시작했다. 이렇게라도 하나님을 붙잡지 않으면 또다시 공부를 포기할까 봐 겁이 났기 때문이다. 어느 날 읽게 된 "두드리라 그러면 열릴 것이니" ^{마 7:7} 라는 성경구절이 계속 머릿속에 맴돌았다.

눈을 감고 생각에 잠겼다. '지금 내가 시급하게 열어야 할 문은 무엇일까? 나는 그 문을 열기 위해 무엇을 해야만 하는가?' 지금 내 앞에는 대학 입학이라는 크고도 무거운 문이 놓여 있고, 반드시 이 문을 열어야 했다. 나에게는 하나님이 주신 세상의 사명을 다하겠다는 분명한 목표가 있었고, 대학 입학은 이를 위한 첫 번째 관문이었다.

솔로몬이 누렸던 축복의 열매가 나에게도…

나는 기도로 대학의 문을 열자고 마음먹은 후, 이왕 두드리는 문이라면 크고 힘차게 두드리는 게 좋겠다고 생각하여 하나님께 더욱 간절히 매달리기 시작했다. 내 갈급함은 이미 극에 달해 있었고 내 의지를 하나님께 온전히 내어 드리자고 결심했다. 그러고 나서 20일 금식기도를 작정했다.

야곱이 하나님의 축복을 갈망했던 나머지 천사와 씨름해 환도뼈가 부러지는 고통을 겪지만 끝내 축복을 받았던 것처럼, 나도 하나님의 축복과 기적을 간절히 간구하는 마음이 있기에 금식기도를 결심했던 것이다.

내가 선택한 금식기도는 24시간 동안 굶는 금식기도가 아닌, 밤

10시부터 딱 두 시간만 식사를 하고 나머지 22시간은 물만 마시는 것이었다. 세상에 태어나 단 한 번도 금식기도를 해 본 적이 없는 나로서는 실로 엄청난 결심이었다. 금식기도의 고통을 전혀 모르는 무지한 상태였기에 가능한 일이었다. 식욕이 왕성한 성장기에 하는 금식기도의 고통을 미리 알았다면 도저히 엄두를 내지 못했을 것이다.

20일 금식기도를 결심하고 나서 한국에 있는 어머니에게 전화를 걸었다. 나를 위해 항상 기도의 끈을 놓지 않으시는 어머니에게 첫 금식기도를 맞이하는 시점에 특별 기도를 부탁하기 위해서였다. 그러나 어머니의 반응은 뜻밖이었다.

"안 돼, 현영아! 금식기도가 얼마나 힘든지 네가 몰라서 그래. 더군다나 지금은 너 혼자 자취하느라 밥도 제대로 챙겨 먹지 못해 몸이 많이 약해진 상태인데, 혹시 아프기라도 하면 어쩌려고 그러니? 지금은 금식기도를 할 때가 아닌 것 같구나."

누구보다 나의 20일 금식기도 결심을 반길 줄 알았던 어머니가 오히려 그 결심을 말리는 것이었다. 그러나 나는 이미 하나님께 20일 금식기도를 약속했고, 이렇게 해서라도 내 간절한 의지를 하나님께 내어 드리고 싶었기에 결심을 번복할 생각은 전혀 없었다. 어머니는 계속 나를 말리며 차라리 자신이 대신 금식기도를 할 테니 공부에만 열중하라고 하셨다. 그러나 그 무엇으로도 내 의지를 꺾을 수는 없었다. 대학 문을 열자는 목표가 뚜렷했고, 이는 짧은 기간 안에 기적이 일어나야만 가능한 일이었기 때문이다.

어머니의 만류를 뿌리치고 금식기도를 시작했다. 시작한 지 하루가 채 지나기 전에 내 몸은 점차 힘에 부치기 시작했지만, 정신은 더욱 또렷해지는 느낌이 들었다. 내 의지를 온전히 하나님께 내어 드리기 위해 다른 잡념을 없애기 위해 노력했고, 오직 하나님께모는 정신을 집중하려고 최선을 다했다. "사람이 떡으로만 살 것이아니요 하나님의 입으로 나오는 모든 말씀으로 살 것이라"마 4:4는 말씀을 가슴에 새기면서 오직 내 자아가 죽고 하나님의 영이 임하기를 간절히 기도했다.

금식기도를 시작한 지 일주일 정도 지났을 무렵 친구들과 선생님들은 점점 말라 가는 나를 보며 걱정하기 시작했다. 어떤 사람은내가 혹시 병에 걸린 것이 아니냐며 병원에 가시 진칠을 받아 보라고까지 말하기도 했다. 나는 금식기도를 하고 있기 때문이라는 말을 하고 싶지 않아서 그들의 질문과 걱정에 그저 고개만 끄덕일 뿐이었다. 사람들에게 인정받기보다는 오로지 하나님께 인정받고 싶다는 생각이 간절했다.

금식기도가 끝나 갈 즈음 내 몸무게는 거의 10킬로그램이 빠졌고 때론 현기증이 일기도 하였다. 그러나 하나님이 나를 보호해 주신 덕분에 금식기도가 끝난 후에 정상적인 식사 생활로 돌아오자

금방 원래 상태를 회복할 수 있었다.

솔로몬의 일천 번제에 비하면 나의 20일 금식기도는 보잘것없지만, 열과 성을 다해 나의 온 의지를 하나님께 내어 드렸다. 금식기도를 끝낸 후 나는 예전과는 다른 새로운 영성을 얻게 되었다. 하나님과 깊은 교제 속에 머무르는 은혜를 입은 것이다. 하나님은 내게 큰 선물도 안겨 주셨다. 바로 솔로몬과 같은 '하나님의 지혜'가 임하게 된 것이다. 하나님의 지혜를 받은 나의 삶은 하루하루 성령으로 충만했고, 다양한 하나님의 축복이 내 삶에 임하기 시작했다. 솔로몬이 누렸던 축복의 열매를 나도 얻게 된 것이다.

하나님의 지혜를 받은 후 열린 학업의 문

"지혜는 그 얻는 자에게 생명나무라 지혜를 가진 자는 복되도다."잠 3:18

하나님의 지혜가 임한 후 나의 삶은 조금씩 바뀌기 시작했다. 가장 먼저 이제는 단순히 나 자신을 위해서가 아닌 하나님의 영광을 위해 공부하자고 다짐하게 되었다. 기도원 목사님의 말씀대로 공부를 다시 시작하는 것이 땅바닥에 박힌 못을 하나 둘씩 빼는 것처럼 힘들고 고된 작업이었지만, 이제는 희망의 동아줄을 움켜잡은 기분이었다.

학교에서 쉬는 시간은 물론이고 집에 돌아와서도 식사 시간을 제외하고는 책상에 앉아 일어날 생각을 하지 않았다. 책상에 앉으면 30분도 채 버티지 못하던 나였지만 하나님의 영광을 위해 공부한다고 생각하니 집중력이 생기기 시작했다. 때로는 밤을 새워 가며 책과 씨름하기도 했는데, 그때마다 하나님이 언제나 지켜 주고 도와주신다는 믿음이 나를 지탱해 주었다.

미국에 와서 가장 먼저 부딪힌 것이 언어의 장벽이었다. 유학을 떠나기 전 특별한 공부 없이 무작정 왔기에 내 영어 실력은 바닥이나 다름없었다. 어느 날 성경을 읽는데 문득 영어는 기초부터 쌓아야 한다는 생각이 떠올랐다.

미국 친구들에 비해 어휘력이 많이 부족해서 책을 읽으면 한 페이지에 모르는 단어가 수두룩하고, 같은 범위의 책을 읽어도 다른 친구들에 비해 몇 배의 시간이 걸렸다. 이를 극복하기 위해 토플 단어집을 구입해 A부터 차근차근 외우기 시작했다. 욕심 같아서는 하루에 100단어씩 외우고 싶었지만 처음부터 목표를 무리해서 잡으면 쉽게 포기하기 때문에 적어도 하루에 30개 정도는 꼭 외우자고 결심했다. 숙제가 많은 날에는 잠을 줄이는 한이 있어도 반드시 단어를 외우고 잠자리에 들었다.

그때쯤 나는 공부에서 복습의 중요성을 뼈저리게 느끼게 되었다. 단어 암기도 마찬가지였다. 어제 30단어를 외웠다면 오늘은 어제 외운 단어를 포함해 60단어를 외웠다. 그때그때 복습을 철저히 해 두면 다음에 외울 때 걸리는 시간이 훨씬 줄어든다. 단어 60개가 많다고 느끼겠지만 30개는 이미 외워 둔 것이기 때문에 다시 보는 데 상당한 시간을 절약할 수 있다. 또한 이렇게 누적하는 방법으로 외우면 한번 외운 단어는 몇 번을 반복한 것이기 때문에 쉽게 잊어버리지 않게 된다.

단어를 체계적으로 외워 가면서 내 귀가 덩달아 열리기 시작했다. 예전에는 아무리 들어도 알아듣기 힘들던 CNN 뉴스가 점차 귀에 들어오기 시작했고, 영어로 된 책을 읽으면서 사전을 찾는 횟수도 크게 줄었다.

단어 암기로 시작된 영어 기초 다지기는 영어 성경을 읽기 시작하면서 큰 전환점을 맞이했다. 영의 양식을 섭취하기 위해 읽어야 할 성경을 영어로 읽으면 영의 양식과 영어 실력 향상이라는 두 마리 토끼를 잡을 수 있겠다는 생각이 들었다.

나는 공부를 시작하기 전 언제나 지혜의 말씀인 시편과 잠언을 묵상하며 기도로 공부에 임했다. 성경을 읽을 때면 눈으로 그냥 훑는 것이 아니라 구절 하나하나를 또박또박 소리 내어 읽었다. 마음에 와 닿는 구절은 몇 번이고 반복하면서 외우려고 노력했으며 삶의 교훈으로 삼기도 했다.

영어 성경을 읽으면서 내 영어 실력은 몰라보게 향상되었다. 성경을 또박또박 읽다 보니 발음이 점차 자연스러워지기 시작했다. 영어 구사력도 좋아지고 미국 친구들과의 의사소통도 편해졌다. 단시간에 몰라보게 달라진 내 영어 실력에 친구들은 무척 놀라워했고, 나도 놀라움을 감추지 못했다. 내게 놀라운 영어 향상의 효과를 안겨 준 영어 성경책에 고마움을 느끼며 읽고 또 읽었다. 영어 성경 읽기를 생활화하면서 영어 실력 향상 이외에도 나에겐 또 다른 기쁨이 있었다. 성경을 통해 하나님의 영이 나의 삶에 더욱 강하게 임재한 것이다.

영어 성경을 가까이 함으로써 내 삶이 더욱 경건해짐은 물론 영어의 지혜가 생겼다. 그렇게 높게만 느껴졌던 영어의 장벽을 넘을 수 있는 원동력이 생기자 이전보다 공부가 훨씬 쉬워지고 꼬리표처럼 따라다니던 벙어리, 열등생이란 딱지도 떼어 낼 수 있었다. 영어로 의사소통이 자유로워져 새로운 자신감과 용기가 생기자 미국 친구들 앞에서 더 이상 의기소침해지지 않았다. 오히려 내가 먼저 그들에게 다가갔고 두터운 친분을 쌓으면서 학교 생활에 새로운 전기를 맞이했다.

영어의 장벽을 넘자 능률이 떨어졌던 공부가 점점 진전을 보이기 시작했다. 중하위권에 머물던 성적이 드디어 상위권으로 진입하게 되었다. 수업 시간이나 토론 시간에 꿀 먹은 벙어리처럼 입을 굳게 다물고 아무 말도 하지 않았던 내가 용기를 내어 먼저 손을 들기도 했다. 담대하지 못했던 내게 자신감이 생겨난 것이다.

"지혜를 존경하여라. 그러면 지혜가 너를 높여 줄 것이다. 지혜를 붙잡아라. 그러면 지혜가 너를 영광스럽게 할 것이다."잠 4:8, 우리말성경

하나님의 지혜는 참으로 놀라운 것이다. 학습장애아, 열등생으로 불리던 나를 우등생으로 만들어 주었다. 그 지혜가 임하지 않았다면 도중에 좌절감에 빠져 한동안 허덕였을 것이다. 이처럼 하나님의 지혜는 그 어떤 금은보화보다 값진 것이다. 이 세상 그 무엇도 하나님의 지혜를 대신할 수는 없다.

04
하나님의 지혜가 안겨 준 축복

하나님의 지혜가 임하고 나서 나는 하나님이 주신 수많은 복을 누리게 되었다. 하나님의 지혜로 인해 특별한 목적의식 없이 생활하던 내가 하나님의 영광을 위해 열심히 공부하게 되었을 뿐 아니라 하루하루를 주님의 뜻에 따라 살아야 한다는 사실을 깨닫게 되었다. 이제야 비로소 나 자신을 위해서가 아닌 하나님께 초점을 둔 삶을 실천해야 한다는 것을 알게 되었다. 공부든 음악이든, 내가 어떤 일을 하더라도 항상 주님의 영광을 드러내기 위해 최선을 다해야 한다는 진리를 터득한 것이다.

하나님의 지혜는 미국 친구들과의 관계의 문도 활짝 열어 주었다. 마치 지혜가 내게 그리스도인의 향기를 뿌려 주듯 어느 곳에 가더라도 환대받기 시작했고, 단지 베이스기타를 잘 연주하던 학생이 아닌 조현영이란 한 사람으로서 인정받게 되었다. 심지어 어떤 학생은 내 성적 향상에 놀라움을 금치 못하면서 그 비결을 가르쳐 달라며 다가오기도 했다.

"모든 민족 중에서 솔로몬의 지혜의 소문을 들은 천하 모든 왕 중에서 그 지혜를 들으러 왔더라"^{왕상 4:34}는 말씀처럼 솔로몬이 지혜를 받은 후 생긴 큰 변화 중 하나는 그가 자기 민족에게는 물론 타국의 국왕에게까지 환대를 받으며 인정받기 시작한 것이었다. 하나님의 지혜가 임한 후 내게도 이런 기적이 일어났다.

지혜를 받은 후 생긴 리더십

하나님의 지혜가 줄 수 있는 큰 축복 중에 리더십이 있다. 리더가 구비해야 하는 요소로는 뚜렷한 목저익식, 자신감, 포용력, 용기, 지각력 등이 있다. 그런데 이 모든 것은 하나님의 지혜가 있어야만 가능한 것이다. 지혜를 받고도 리더십을 발휘하지 못한다면 그것은 죽은 지혜나 다름없다.

하나님의 지혜 덕분에 영어의 장벽을 뛰어넘고 공부에 자신감이 붙자 조금씩 리더십이 생겨나게 되었다. 내게 호감을 보여 오는 미국 친구들을 더 이상 두려워할 필요가 없었다. 오히려 그들을 따라

가려고 노력하던 예전 모습이 무색하게도 나는 그들에게 공부를 잘할 수 있는 방법 등을 조언해 주며, 그들을 점점 정신적으로 이끌어 가는 존재로 자리매김하게 되었다.

하루는 내가 태어난 한국을 미국 친구들에게 알리고 싶어 'Korean Movie Club'을 만들어 한국 영화를 보여 주고 한국 문화를 알리자고 결심했다. 한국이란 나라에 무관심한 미국 친구들에게 호응을 얻기란 힘든 일이었지만, 나는 성적이 나쁜 친구들에게 개인 교습까지 해 주면서 그들이 이 클럽에 가입할 수 있도록 노력했다. 나의 노력은 얼마 후 빛을 발하기 시작했다. 한국이란 나라에 점차 관심을 갖는 친구들을 보면서 나는 하나님의 지혜가 이런 능력을 발휘하도록 하셨다고 믿었다.

어릴 때부터 몸이 민첩해서 단거리 달리기에 소질이 있었던 나는 육상부에서도 점점 두각을 나타내기 시작했다. 지혜를 통해 터득한 끈기는 나에게 단거리뿐 아니라 장거리 마라톤에서도 선두권을 달릴 수 있도록 만들어 주었다. 육상에 큰 재능을 보이자 코치의 권유로 육상부 주장이 되어 리더십을 발휘할 수 있는 기회를 갖게 되었다. 주장이 된 나는 육상부가 대회에서 좋은 성적을 얻으려면 어떻게 해야 하는지 고심하기 시작했다. 때때로 학업 문제로 힘들어 하던 육상부 학생들을 도와주었고, 신입생에게는 새로운 환경에 잘 적응할 수 있도록 적극적으로 도움의 손길을 뻗는 등 주장의 역할을 충실히 수행하려고 노력했다.

나아가 나는 음악적 재능을 지속적으로 살려 각 밴드에서 리더로 활동하는 등 여러 분야에서 리더십을 발휘할 기회를 갖게 되었다. 다른 사람을 따라가는 일에만 익숙했던 내게 이런 일은 놀라움 그 자체였다. 이 모든 일은 하나님의 지혜가 내게 임했기에 가능했던 것이다.

하나님은 결코 나를 무리의 꼬리로 사용하기를 원치 않으셨다. 리더가 되어 많은 무리를 이끌고 그들을 주님의 이름으로 축복할 수 있는 위치에 올라가라고 명하신 것이다. 하나님이 주신 지혜는 불가능을 가능케 했다.

온전히 하나님께 의탁하는 삶

하나님의 지혜가 내게 준 가장 큰 축복은 그렇게도 멀게만 느껴졌던 대학이란 큰 관문을 열어 준 것이다. 어둡고 긴 터널을 하나님에 대한 순종으로 포기하지 않고 통과함으로써 나는 꿈에 그리던 스탠포드 대학교에 합격하게 되었다. 이는 하나님의 도우심 없이는 결코 불가능한 일이었다. 미국 유학길에 오르기 전 품었던 큰 꿈이 현실로 나타난 것이다.

유학 중 숱한 고난이 있었지만 이 모든 것을 이겨 내고 달콤한 열매를 맛볼 수 있었던 것은 하나님이 늘 나와 동행해 주셨기 때문이다. 나는 이런 축복을 통해 하나님의 전능하심을 더욱 굳건히 믿게 되었고, 하나님의 지혜 없이는 단 하루도 살아갈 수 없음을 깨달았다.

"땅의 모든 족속이 너를 인하여 복을 얻을 것이니라."창 12:3

하나님이 아브라함을 이스라엘 민족에게 복을 끼치는 축복의 통로로 사용하신 것처럼, 나 또한 조금씩 주위 사람들에게 선한 영향을 끼치는 그리스도인으로 변모하기 시작했다. 하나님의 온전한 도우심으로 영어 시험 빵점의 열등생이 당당히 미국의 명문대학교 학생이 되는 기적이 일어났다. 이런 변화를 지켜보던 친구들은 나를 통해 하나님의 존재를 깨닫기 시작했다. 나는 주저하지 않고 하나님의 전능하심을 주변 친구들에게 알렸다. 나로 인해 하나님을 믿기 시작한 친구가 하나 둘 늘기 시작했고, 나를 통해 하나님의 축복을 경험하게 된 친구도 많았다.

이처럼 내가 축복의 통로로 쓰임받을 수 있었던 것은 하나님의 지혜, 곧 하나님의 영이 임했기 때문이다. 하나님은 지혜를 통해 내가 감당할 수 없을 만큼의 축복을 허락하셨고, 지금 이 순간까지도 그 끈을 놓지 않고 계신다.

내가 하나님의 지혜를 받을 수 있었던 가장 큰 이유는 어머니로부터 내려온 반석 위의 믿음이 자리 잡고 있었기 때문이다. 그 믿음이 있기에 하나님께서 사랑하는 음악을 내려놓고 다시 공부하라고 하셨을 때 한치의 두려움 없이 그 말씀에 따를 수 있었던 것이다. 한때 내 삶의 전부였던 음악을 아낌없이 희생할 수 있었던 것은 하나님께 온전히 순종하기 위함이었다. 아브라함의 믿음과 순종을 보시고 그의 민족과 자손을 대대손손 축복하신 하나님은 내 안에 이전보다 더 큰 믿음을 불어넣으심으로써 지혜를 얻는 축복을 주셨다.

하나님의 지혜가 내게 임할 수 있었던 두 번째 이유는 하나님이 약속하신 비전과 축복의 열매를 모두 가지려는 야곱과 같은 열정이 있었기 때문이다. 음악과 공부의 선택 기로에서 기도원 목사님으로부터 전해 들은 하나님의 놀라운 계획은 나를 하나님의 뜻에 따르는 열정적인 사람으로 다시 태어나게 했다.

삶을 살아가는 데 지나침은 부족함보다 못한 경우가 많다. 하나님이 내게 허락하신 열정도 지나치면 하나님의 비전과 사명의 길에서 어긋나게 되므로 솔로몬처럼 내 의지를 온전히 하나님께 의탁했다. 20일 금식기도라는 쉽지 않은 결심과 실행을 통해 하나님께 내 굳은 의지를 보여 드렸고, 하나님께서는 이런 금식기도를 받으시고 지혜를 허락하셨다.

학업의 문을 열고 스탠포드 입학

스탠포드에 입학한 후 나는 엄청나게 많은 천재들을 보고 큰 충격을 받았다. 이들은 두뇌가 매우 뛰어났음에도 불구하고 밤을 새워 가며 공부하는 노력파이기까지 했다. 또한 일반적으로 공부를 잘하는 학생이라면 으레 외모가 평범할 것이라 생각해 왔는데, 이곳에는 외모가 준수한 학생이 넘쳐났고 부잣집이나 명문가 자제도 셀 수 없이 많았다. 어느 것 하나 나보다 뒤처지는 학생이 없는 것 같았다.

클린턴 전 미국 대통령의 딸인 첼시 클린턴과 골프 황제 타이거 우즈가 스탠포드를 다녔다는 것은 널리 알려진 사실이다. 이 외에도 케네디의 손자와 록펠러의 자손 등이 당시 스탠포드를 다니고 있었다. 내가 살던 기숙사의 바로 윗방에는

공부에 대한 무서운 열정을 가진 이들과 머리를 맞대고 공부하며 경쟁할 수 있었던 것은 하나님의 축복이었다.

컴퓨터와 프린터 회사로 유명한 휴렛패커드 창업자의 손자가 살고 있었다.

스탠포드의 모든 학생이 이런 배경을 갖춘 것은 아니지만, TV나 신문으로만 보아 왔던 소위 최상류층 아이들을 실제로 본 것은 그때가 처음이었다. 나보다 실력이나 가정환경이 월등히 좋은 아이들과 있노라면 자극이 되기도 했지만, 때로는 그들과 비교했을 때 초라한 나를 보며 의기소침해지기도 했다.

이런 환경적인 면을 제쳐 놓고 나를 가장 슬프게 만든 것은 스탠포드 대학교의 수업 난이도였다. 이는 지금까지의 고등학교 수업과는 차원이 달랐다. 입학 후 첫 학기 경제학 시험을 위해 이틀 밤을 새워 공부했는데, 시험 결과는 100점 만점에 50점을 받아 낙제를 하고 말았다. 나는 망연자실할 수밖에 없었다. 아무리 밤을 새워 가며 책을 읽고 공부해도 스탠포드의 수업을 따라가기에는 역부족이었다.

또한 스탠포드의 엄청난 과제는 나를 더욱 압박해 왔다. 강의 첫날부터 과제로 읽어야 하는 책이 상상을 초월할 정도로 많았다. 이 책들은 단순한 지식 전달이나 가벼운 재미로 읽는 책이 아닌 깊이 있는 전문서적이나 문학, 역사책이었다. 한 권을 읽기에도 벅찬 책을 일주일 동안 서너 권씩 꼬박꼬박 읽어야 하니 벅찰 수밖에 없었다. 더구나 책을 모두 읽은 후에는 보고서와 페이퍼를 써야 했고,

토론 수업에서는 책 내용과 강의 시간에 배운 내용에 관해 심도 있는 토론을 진행해야만 했다.

대형 강의 시간 이후에는 보통 조교와 7~8명의 학생이 그룹을 지어 토론 수업을 하게 된다. 한 과목의 강의가 일주일에 두 번 있다면 토론 수업 역시 두 번이었다. 토론 수업은 나에게 그야말로 전쟁이었다. 다른 학생들의 언변 능력과 논리 정연한 사고는 나를 꿀 먹은 벙어리로 만들기에 충분했다. 혹시 말을 했다가 그들에 비해 얕은 내 지식이 드러날까 두렵기까지 했다.

나를 가장 당황하게 만든 것은 식사 시간이었다. 학생들은 식사를 하면서 마치 수업의 연장인 것처럼 자연스럽게 수업 시간에 배운 내용에 관해 토론하고 정치 · 경제 · 사회 등 시사 문제를 놓고도 많은 의견을 나눴다. '식사 시간에는 그냥 편하게 잡담이나 하며 즐기면 좋을 텐데, 왜 밥을 먹는 중에도 시사 문제를 논할까?' 친구들과 식사를 하다가 토론이 시작되기라도 하면 나는 소화가 잘 되지 않았다.

거대한 산을 넘어서기 위해서는 더 큰 지혜를 구하라

스탠포드에 오기 전에는 상상조차 할 수 없었던 이들은 영화에서

나 보았던 좀비와 같은 존재였다. 학구열로 불타는 캠퍼스 곳곳에는 이런 좀비 같은 학생들이 넘쳐 나고 있었다. 이들은 내가 어린 시절에 보았던 TV 다큐멘터리 속에 등장하는 수재였고, 10년이나 20년 후 미국과 세계 경제를 움직이는 큰 인물로 성장할 학생들임에 틀림없었다.

이런 엄청난 학구열 속에서 나는 하루하루 맥 빠진 사람처럼 지내기 일쑤였다. 밤을 새워 책을 읽어도 끝이 보이지 않았고 행여나 낙제할지도 모른다는 두려움에 하루하루를 가슴 졸이며 지냈다. 학창 시절 대부분을 열등생으로 지내왔던 나는 스탠포드에서 많은 뛰어난 학생들을 만나면서 점차 자신감을 잃어 갔고, 이렇게 하다가는 졸업도 하지 못하겠다는 생각에 가슴이 답답했다. 한때 공부가 너무 힘든 나머지 학업을 중도에 포기하고 한국으로 돌아갈까 하는 생각도 했다.

그때 내 머릿속을 강하게 스쳐 지나가는 것이 있었으니, 그것은 바로 내가 하나님의 지혜를 받았다는 사실이었다. 20일 금식기도를 통해 하나님의 지혜를 받았던 나는 고등학교 시절 학업의 문이 열리는 놀라운 기적을 체험했다. 고심 끝에 다시 한 번 내 열정을 다해 하나님께 매달리기로 결심했다.

"하나님, 저를 미국에 보내신 것도, 스탠포드에 합격시키신 것도 하나님이십니다. 하나님의 영광을 드러내기 위해 열심히 공부하고 있지만, 실력이 부족함을 절실히 깨닫고 있습니다. 부디 제

가 이 대학을 무사히 졸업할 수 있도록 더 높은 지혜를 허락해 주
시길 기도합니다."

    당시 내 목표는 오직 하나, 무사히 대학을 졸업하는 것이었다.
당시 내게 교내 우등생이 되고 싶다는 생각은 오만에 불과했고,
오로지 이 대학에서 살아남아야 한다는 생각뿐이었다. 그만큼 내
게는 좀비 같은 천재들과 경쟁하면서 수업을 따라가는 것이 버거
웠다.

    하루하루 치열하게 살다 보니 이전의 내 생활 습관을 잊고 지내
왔다. 고등학교 때 공부를 시작하기 전 항상 영어 성경을 붙들고
시편과 잠언을 숙독하던 내 모습이 온데간데없이 사라졌던 것이
다. 하나님을 의지하던 예전 모습을 되찾기 위해 간절한 마음으로
영어 성경을 다시 꺼내 앞으로 공부하기 전에 항상 시편과 잠언 말
씀을 통독하며 공부에 임히기로 다짐했다. 열과 성을 다해 공부하
되 결과는 전적으로 하나님께 맡기자고 마음먹은 후 다시 공부와
의 고독한 싸움에 돌입했다.

받은 지혜로 비전을 현실화시켜라

    하나님을 의지하며 공부와 지독한 싸움을 벌인 지 어느덧 1년이

란 시간이 지났다. 여느 때와 마찬가지로 친구들과 함께 점심을 먹고 있었다. 나는 친구들과 담소를 즐기기 위해 먼저 말을 꺼냈다.

"베이징 올림픽 개최를 앞둔 중국이 무서운 속도로 경제 성장을 이룩하고 있는데, 너희가 보기엔 중국이 정말로 50년 안에 미국을 따라잡을 수 있을 것 같니? 내가 태어난 한국도 1988년 서울 올림픽과 2002년도 월드컵 개최가 경제 성장에 큰 기여를 했거든."

말을 마치고 나서 나는 깜짝 놀랐다. 내 입에서 시사 얘기가 자연스럽게 흘러나온 것이다. 학기 초만 해도 식사할 때 시사 얘기만 나와도 고개를 설레설레 흔들고 밥 먹는 데만 집중했는데, 지금 내가 미국 친구들과 식사하면서 자연스럽게 경제에 대해 논하고 있는 것이다.

그 순간 '근묵자흑(近墨者黑)'이라는 고사성어가 떠올랐다. "먹을 가까이하면 자신도 모르게 검어진다"는 뜻으로 사람도 주위 환경에 따라 변할 수 있다는 것을 나타낸 말이다. 스탠포드의 좀비들과 어울려 다니면서 어느새 나도 그들을 닮아 가게 되었고, 미국 친구들과 자연스럽게 시사 문제를 논할 수 있게 된 내 모습을 보며 기뻐 어쩔 줄을 몰랐다.

TV로만 보던 세계적인 천재들과 머리를 맞대고 공부할 수 있는 모습으로 점차 변화해 가는 내 모습이 마냥 신기하기만 했다. 스탠포드에 입학한 후 오직 생존을 위해 수많은 밤을 새워 가며 공부하고 하나님께 매달렸던 나는 동경하던 그들과 어깨를 나란히 할 수 있게 된 것이다. 이제는 더 이상 토론 수업에서 요령을 피우지 않아도, 더 이상 낙제를 걱정하지 않아도 될 만큼의 실력을 갖추게 되었다. 이 모든 것이 하나님이 베푸신 기적이었다.

학업에서 어느 정도 만족할 만큼의 경지에 도달하자 처음 미국 유학을 결심하던 때의 모습이 떠올랐다. 도피 유학을 간다며 나에게 손가락질하던 아이들, 미국의 명문대에 들어간다는 것은 도저

4년간 젊음, 패기, 열정 그리고 우정을 나누었던 스탠포드의 기독교 동아리 동기들과 함께….

히 불가능한 일이라며 나를 낙심시켰던 고등학교 영어 선생님이 생각났다. 만약 그들의 말에 실망하고 꿈을 접었다면 결코 하나님이 내 삶에 베풀어 주신 기적을 누리지 못했을 것이다.

그 후 하나님은 스탠포드의 학생들과 단순히 공부만 하는 것이 아니라 세계 엘리트들과 함께 일하며 보다 세계적인 경쟁력을 쌓아 갈 수 있는 발판을 마련해 주셨다. 하나님의 도우심으로 미국에서 최고로 손꼽히는 컨설팅 회사인 베인 앤 컴퍼니(Bain & Company)와 모니터 컴퍼니(Monitor Company)에서 인턴으로 직장 생활을 경험할 수 있는 기회를 얻게 된 것이다. 나는 이들 회사에서 일하며 세계 경제의 흐름을 파악하기 위해 노력했고, 많은 경제인과의 교류를 통해 학교에서 배운 지식을 실제에 적용할 수 있는 능력을 쌓게 되었다.

이처럼 하나님이 세계적인 경쟁력을 쌓을 수 있는 발판을 마련해 주셨으므로 나 또한 그에 부응하는 인물이 되어야 한다고 생각했다. 더 이상의 발전 없이 그 자리를 맴돌고 있다면 하나님은 결코 이를 기뻐하지 않으실 것을 알았다. 미국에 온 이유를 다시 한 번 떠올리면서 내가 꿈꿔 왔던 비전을 좀 더 현실적으로 그리는 작업을 시작했다.

"네가 네 하나님 여호와의 말씀을 삼가 듣고 내가 오늘날 네게 명하는 그 모든 명령을 지켜 행하면 네 하나님 여호와께서 너를 세

계 모든 민족 위에 뛰어나게 하실 것이라."신 28:1

하나님은 내가 그분 안에 거하고 내 위치에서 최선을 다하는 사람이라면 신명기 말씀처럼 세계 모든 민족 위에 뛰어나게 하실 것이라는 확신을 주셨다. 하나님은 나를 그런 세계적인 인물로 만드시기 위해 어릴 때부터 더 큰 무대를 향한 꿈을 꾸게 하시고 열심히 공부할 수 있도록 항상 자극하셨던 것이다.

나는 요셉과 다니엘처럼 하나님의 선한 영향력을 끼치는 일꾼이 되기 위해 구체적으로 기도해야겠다고 결심했다. 하나님이 함께하신다면 불가능한 일이 없다는 강한 믿음이 생긴 것이다. 비로소 내 비전에 한 걸음 더 가까이 다가설 수 있게 된 것이다.

하나님 안에서 큰 비전을 가졌다면 우리는 그것을 성취해야 할 사명을 가진 것이다. 전능하신 하나님을 의지하며 큰 일꾼이 되기 위해 오늘도 최선을 다해야 한다. 하나님이 주신 지혜로 우리의 비전을 실천할 때 하나님은 우리를 더 큰 자로 세우신다는 사실을 기억하라. 당신은 이미 하나님의 귀한 일꾼이며, 수많은 사람에게 하나님의 복음을 전파할 축복의 통로다.

Part 3

실천편

자신의 비전을 실천하는

하나님의 일꾼이 되라

01

하나님의 원대한 비전을 실천하라

하나님은 그분의 자녀들이 항상 비전을 갖고 살아가길 바라신
다. 비전을 품고 있으면 우리는 그것을 이루기 위해 하나님을 더욱
의지하게 되고, 이것이 이루어질 때 하나님의 전능하심을 믿고 영
광을 돌린다. 비전 없는 삶이란 칠흑 같은 어둠의 바다 한가운데서
표류하는 배와 같다. 이런 삶을 사는 사람은 삶의 방향을 잃은 채
여기저기를 헤매다가 때로는 몸과 마음에 상처를 입기도 한다. 그
렇기 때문에 우리는 하나님과 항상 동행하며 원대한 비전을 실현
시켜 나가는 삶을 살아야 한다.

어릴 적부터 많은 단점을 안고 살아왔지만 하나님이 내게 허락
하신 장점이 하나 있다면, 그것은 바로 굳건한 믿음을 바탕으로 원

대한 비전을 품도록 하신 것이다. 어린 시절에는 춤만 사랑하고 공부를 등한시하던 열등생에 불과했지만, TV를 보며 세계의 우수한 인재들과 머리를 맞대며 공부하고 싶다는 비전을 가졌다. 또한 영어 빵점 소년이었지만 미국의 명문대 진학을 꿈꾸며 내 비전을 점차 키워 나갔다.

현실적으로 따져 봤을 때 내 비전의 크기는 실현하기에 불가능할 정도로 큰 것이기에 나는 하나님을 전적으로 의지했다. 힘든 일을 겪거나 시험을 당할 때면 하나님은 늘 나를 일으켜 세우시면서 다시 그 비전을 향해 달려 나가도록 만드셨다.

놀랍게도 청소년 시절에 가졌던 꿈들은 지금 모두 현실이 되어 눈앞에 나타났다. 이는 하나님이 함께하셨기에 가능했던 일이다. 나는 비로소 원대한 비전을 하나 둘씩 이루어 주신 하나님께 영광을 돌릴 수 있게 되었다.

공부를 등한시하던 시절의 소극적이고 작은 비전을 가지고 살았다면, 지금의 나는 과연 어떤 모습일까? 세계 무대의 주인공이 되고 싶다는 꿈과 희망을 저버린 채 그저 춤과 음악에 안주하고 평범한 삶을 영위하려고 했다면 스탠포드라는 세계적인 명문대학에 들어갈 수도 없었을 것이고, TV를 보며 꿈꿔 왔던 세계적인 인재들과의 경쟁하는 것도 불가능했을 것이다. 또한 젊은 나이에 책을 쓰고 이를 통해 많은 사람에게 선한 영향을 끼친다는 건 상상조차 할 수 없는 일이었을 것이다.

임마누엘 교회에서 청소년과 학부모를 위한 특강을 하고 있을 때의 일이다. 당시 내 특강은 '원대한 비전을 이루는 학생이 되어야 한다'가 주제였다. 나는 우주만물을 창조하신 하나님의 아들, 딸인 우리는 왕의 자녀된 권세가 있으므로 세상에서 누리지 못할 것이 없다고 외쳤다. 그들에게 열심히 공부하여 사회적으로 인정받는 자리에 올라가 보다 많은 사람에게 주의 복음을 전하고 선한 영향력을 끼쳐야 한다는 교훈을 심어 주고 싶었다.

특강이 끝나 갈 무렵, 나는 앞자리에 앉은 한 고등학생을 강단으로 불러 그의 비전에 대해 물었다. 그 학생은 건장한 체격에 자신감 넘치는 얼굴이었기에 내심 원대한 비전을 말해 주리라고 기대했다.

"저는 체육 교사가 되어 학생들에게 하나님을 증거하는 사람이 되고 싶습니다."

그의 말을 듣는 순간 안타까운 생각이 들었다. 교육자가 되어 자신이 가르치는 학생에게 선한 영향력을 끼치는 사람이 되고 싶다는 것은 더없이 좋은 생각이지만, 아직 어린 나이에 너무 일찍 자신의 가능성을 한정시키는 것이 아닌가 하는 걱정이 들었던 것이다. 자신이 원하고 간구하면 하나님께서 분명 그를 더욱 크게 쓰실 것이란 믿음을 가졌으면 하는 바람이 생겼다. 그래서 그 학생에게 이렇게 말했다.

"체육 교사도 좋지만 이왕이면 더 많은 사람에게 영향력을 끼칠

여의도 순복음교회 제3성전에서 '원대한 비전을 실천하는 자'라는 주제로 **특강**을 하는 모습

수 있는 문화관광부 장관이 되길 축원합니다."

특강이 끝난 후 그 학생은 내게로 와 하나님이 자신에게 허락한 무한한 가능성을 한계지어 왔다는 것을 깨닫는 시간이었다고 고백하며, 앞으로는 더욱 원대한 비전을 품을 것이고, 그것을 이루기 위해 하나님께 더욱 매달릴 것이라고 말했다.

이처럼 우리의 삶에서 꿈을 꾸는 것 자체도 중요하지만 좀 더 구체적으로 어떤 비전을 가지고 있느냐 하는 것이 더욱 중요하다. 평생 그서 평범한 삶을 살기 원하는 사람에게 하나님은 그 이상의 것을 허락하시지 않는다. 소망 없는 믿음이란 존재할 수 없기 때문에 하나님은 그분의 자녀들이 원대한 비전을 품기 바라신다.

원대한 비전은 우리에게 동기부여가 되어 더욱 부지런한 삶을 살도록 만들어 준다. 커다란 비전을 품고 살아가는 사람의 특징을 살펴보면 대부분 '나에게는 불가능이란 없다'는 생각을 가지고 있다. 이런 도전의식과 함께 하나님에 대한 믿음이 한층 견고함을 알 수 있다.

반면 두려움과 게으름 때문에 원대한 꿈을 꿀 기회조차 잃어버리는 사람도 있다. 이런 사람은 "내가 어떻게 그런 큰 인물이 될 수 있겠어? 그런 일은 오직 선택받은 사람만이 할 수 있는 일이야"라며 자신을 합리화시킨다. 이 둘 중 어떤 사람이 될 것이냐는 우리의 선택에 달려 있다.

요셉은 어린 시절부터 현실과 걸맞지 않은 원대한 꿈을 꾸며 살았다. 형들의 곡식 단이 자신의 곡식 단에게 절하고, 해와 달과 열한 개의 별이 자신에게 절하는 꿈을 꾸며 그 꿈을 굳건히 믿었다창 37:7-9. 요셉은 그 비전을 이루기 위해 수많은 연단 속에서도 하루하루 하나님께 순종하며 성실한 삶을 살았다. 요셉의 비전은 하나님이 축복하신 비전이요, 결과적으로 이스라엘 전체를 보전하는 비전이었다.

안타깝게도 많은 사람들이 어릴 적 꿈꿔 왔던 큰 꿈을 나이를 먹으면서 현실과 부딪칠 때마다 버리거나, 그 크기를 조금씩 줄여 나가는 모습을 보게 된다. 만약 요셉이 수많은 고통 속에서 자신이 꾸었던 꿈의 크기를 줄여 나갔다면 어떻게 되었을까? 요셉이 당대 최고 경제대국이었던 애굽의 총리가 되어 모국인 이스라엘의 경제와 민족을 구원하는 역사는 결코 일어나지 않았을 것이다. 이처럼 하나님은 그분의 자녀 모두에게 비전을 주시고 비전의 크기와 성취 여부는 우리의 몫으로 남겨 두신다는 것을 기억해야 한다.

우리의 비전도 요셉과 마찬가지다. 비전은 나를 통하여 다른 사람이 하나님을 발견하는 것이고, 그들을 좋은 길로 이끄는 것이다. 나만을 위한 이기적인 비전은 하나님이 허락하신 진정한 비전이 아니다.

하나님이 우리에게 비전을 부어 주실 때는 반드시 하나님의 뜻과 나라를 위한 목적이 있다는 것을 명심해야 한다. 여기서 중요한 것은 우리가 단순히 비전만 품는 사람이 아닌 그것을 이루기 위해 열심히 노력하여 요셉처럼 비전을 현실화시키는 사람이 되어야 한다는 점이다.

02

비전을 이루기 위한 지침서

1. 신앙서적을 읽고 신앙의 역할 모델을 삼으라

성경이 그리스도인에게 삶의 방향을 제시해 주는 등대라면, 신앙서적은 도전정신을 불러일으키는 원동력이다. 우리는 신앙서적을 통해 자신이 꿈꾸던 비전을 먼저 이루어 낸 믿음의 일꾼이 살았던 삶을 간접적으로 경험하며 큰 깨달음을 얻게 된다. 신앙서적은 그리스도인의 삶에서 비타민 같은 역할을 하고 도전의식을 불러일으키는 촉매제 역할을 하기 때문에 유혹을 이겨 내고 많은 관문을 넘어야 하는 청소년들이 꼭 읽었으면 하는 바람이다.

신앙서적을 읽음으로써 얻을 수 있는 가장 큰 이점은 전 세계적으로 비전을 성공적으로 이루어 낸 신앙의 선배들을 만날 수 있다는 것이다. 우리는 이들을 통해 성공의 비결을 배우기도 하고 자신을 되돌아볼 기회를 가짐으로써 새로운 도전에 대한 용기를 얻게 된다. 이처럼 살면서 닮고 싶은 신앙의 선배가 있다면 그를 삶의 표본으로 삼도록 하라.

나는 여의도 순복음교회의 조용기 목사님을 내 역할 모델로 삼고 있다. 오직 하나님의 도우심으로 전 세계에 복음을 전파하는 주님의 일꾼이 된 조용기 목사님은 나뿐 아니라 많은 그리스도인에게 큰 영향을 끼치신 분이다. 나는 조용기 목사님의 저서나 설교를 통해 많은 자극을 받으면서 때로는 나태해진 내 자신을 채찍질하기도 했다.

설교 시간에 "할 수 있거든이 무슨 말이냐 믿는 사에게는 능치 못할 일이 없느니라"막 9:23를 외치셨던 조용기 목사님은 어머니가 평소 존경하는 신앙의 스승이시기도 하다. 젊은 시절부터 여의도 순복음교회에 다니며 신앙심을 다진 어머니는 조용기 목사님의 영향을 받아 불가능을 기도로써 가능케 하는 삶을 사셨다. 아울러 어머니는 나도 조용기 목사님처럼 언젠가는 세계 모든 민족 위에 뛰어난 인물이 되어 전 세계에 주님의 복음을 전파하는 일에 동참하기를 갈망하며 오늘도 쉬지 않고 기도하신다.

신앙서적을 통해 우리는 다양한 삶의 교훈과 지혜를 배운다. 신앙인은 인생을 살아가면서 다양한 경험을 하고 그 안에서 신앙에 대한 연륜을 쌓아 간다. 신앙인으로서의 도리와 삶의 지혜를 배우고 그 의미를 터득해 나감으로써 더욱 성숙한 신앙인으로 거듭나게 되는 것이다.

이렇듯 신앙서적은 앞선 신앙인이 행한 삶의 감동을 전달하며 그들의 경험과 연륜을 간접적으로나마 체험할 수 있는 기회를 제공한다. 이를 통해 자신의 신앙생활을 되돌아보고 재정비할 수 있는 뜻 깊은 시간을 가질 수 있다.

아무리 바쁘고 힘들더라도 한 달에 두세 권 정도의 신앙서적을 읽을 것을 권한다. 바쁜 일상이지만 삶에 활력을 불어넣어 주는 오아시스를 그냥 지나치지 않기를 진심으로 바란다. 그리고 언젠가는 책을 읽는 데서 끝나지 않고 자신의 신앙간증을 직접 책으로 엮어 많은 그리스도인에게 선한 영향을 끼치는 축복의 역할을 감당하길 희망하는 바다.

2. 부흥집회를 다녀라

자신의 비전을 찾고 이를 이루기 위해 부흥집회에 참석하는 것은 필수다. 고등학교 시절 나는 미국 명문대학에 진학하려는 꿈과 의지를 갖고 있었기에 시험 기간을 제외한 시기에는 각종 부흥집회를 다니면서 큰 은혜를 누리고 신선한 도전을 받기도 했다. 대학의 문을 열 수 있는 열쇠를 얻게 된 것은 교회 집회에 참석해 하나님께 간절히 부르짖었기 때문이다.

비전을 이루기 원했던 나는 집회가 있기 며칠 전부터 하나님의 은혜를 사모하는 마음으로 준비기도를 드렸다. 그리고 집회 기간에는 모든 열정을 바쳐 마음과 의지를 하나님께 내어 드렸고, 하나님은 항상 역사하셨다.

부흥집회를 앞두고 준비기도를 충분히 하면 하나님이 부어 주시는 은혜가 남다르다는 것을 느낄 수 있다. 그래서 큰 부흥집회가 있는 경우에는 한 달 전부터 다른 지체들과 함께 부흥집회를 위해 하루에 최소 두 시간씩 교회에서 열심히 준비기도를 하며 하나님의 위대한 역사를 갈망했다.

대학교 1학년 때의 일이다. 미국의 어느 유명한 목사님의 부흥집회에 참석했던 나는 여느 때와 다름없이 간절한 기도로 하나님의 크신 은혜를 갈망했다. 부흥집회 기간 중 나는 하나님으로부터 뚜렷한 비전 하나를 받을 수 있었다. 하나님은 나를 평신도 사역자로서 전 세계를 돌며 낮은 사람에게 도전과 희망을 주는 사역을 감당하게 하신다는 것이었다.

사역의 비전을 받고 나서 5년이란 시간이 흐른 후, 하나님은 나를 최연소 코스타(KOSTA) 강사로 세우셨다. 내가 받은 비전이 현실로 나타난 것이다. 나는 2007년 필리핀에서 개최된 유스 코스타(Youth KOSTA)의 강사로 참석해 많은 청소년에게 도전과 희망을 주는 역할을 감당했다. 이 집회를 통해 단지 청소년에게 도전을 주기만 한 것이 아니라 나도 엄청난 도전을 받고 신앙생활에서 또 다른 전환점을 맞았다. 이처럼 부흥집회는 내 신앙생활을 지탱해 주는 원동력이다.

20년 전통의 코스타는 세계 각지에 퍼져 있는 한국 유학생과 1.5세 이민자 학생을 위한 부흥집회다. 코스타의 강사는 대부분 세계적으로 각자의 분야에서 큰 영향력을 행사하고 있는 영적 지도자다. 아직 많이 부족한 나로서는 이렇게 대단한 영적 지도자들과 함께 사역하는 것이 부담스럽기도 했다. 그러나 내겐 큰 특권이었고, 하나님은 이들을 통해 나에게 엄청난 도전을 주기 원하셨다.

필리핀 코스타 집회 중 어느 날, 당시 찬양 사역자로 참석한 송정미 사모님이 무대에 오르기 전 준비기도를 드리는 모습을 보게 되었다. 여느 사역자와 남다르다고 생각될 정도로 송정미 사모님은 탁자에 엎드려 긴 시간 동안 온 열정을 다해 준비기도를 하셨다. 주변의 기도 동역자들도 사모님의 등에 손을 얹고 중보기도를 하였다. '강단 위에서 단지 찬양 두 곡을 부르기 위해 저렇게 열정적으로 기도를 드리시다니!' 그 모습에 충격을 받은 나는 내 자신

큰 도전과 비전을 받았던 2007 필리핀 코스타 집회에서 열강하고 있는 모습

2007 필리핀 코스타 강사이신 『내려놓음』의 저자 이용규 선교사님과 인도에서 오신 지구보기 선교사님과 함께

2007 필리핀 코스타 집회 기간에 함께 했던 아이들과의 단체사진

이 너무 부끄러웠다.

하나님에 대한 코스타 강사들의 열정을 피부로 느꼈던 시간은 나를 변화시키기에 충분했다. 그 후 나는 강단에 서기 전 항상 마음을 가다듬고 신령과 진정으로 준비기도를 하는 습관을 기르게 되었다. 영적 지도자가 되어 하나님께 내 모든 열정을 아낌없이 내어 드릴 수 있는 그날을 고대한다.

부흥집회는 삶에 지치고 힘겨워하는 그리스도인에게 활력을 불어넣어 준다. 부흥집회에 참석하기 전 이를 위해 충분한 준비기도를 하고 하나님의 역사하심을 간절히 소망할 때 우리는 더 큰 변화를 맞이하게 된다.

3. 주위에 기도 동역자들을 세워라

모세가 기도하다 지쳤을 때 아론과 훌이 그를 도와 기도하여 아말렉 전투에서 승리한 것처럼 모든 그리스도인은 서로를 위해 기도하도록 부르심을 받았다^{약 5:16}. 한 사람이 천을 쫓고 두 사람이 만을 쫓듯 기도 동역의 힘은 혼자일 때보다 배가된다. 하나님은 기도 동역자들을 통해 역사하기 원하신다. 그리스도인이 서로 신령과 정성을 다해 합심하여 기도할 때 하나님의 크나큰 역사가 일어나는 것이다.

내게 가장 큰 힘이 되는 기도 동역자는 바로 어머니다. 어머니는 내가 세상에 태어나기 전부터 나를 위해 기도하셨고 오늘도 새벽을 깨우는 기도를 드리고 계신다. 어머니 주위에는 어머니를 후원하는 기도 동역자들이 있고, 덕분에 나를 위한 기도는 배가될 수 있는 것이다. 나는 여기서 멈추지 않고 세상에 나와 기도 동역자를 세우는 일을 게을리하지 않았다.

지난 2006년부터 영어를 배우고자 열망하는 사람들을 위해 일주일에 두 번씩 무료 영어 강습을 실시해 왔다. 학생과 직장인으로 구성된 수강생 중에는 유난히 크리스천이 많다. 두 시간 동안의 수업이 끝나면 나는 크리스천 수강생들과 함께 나라와 민족을 위해, 그리고 서로를 위해 중보기도를 드리는 기도 모임을 가진다.

이들과 나는 기도 모임에서 합심하여 열방을 향해 부르짖는 기도를 드린다. 역대하 7장 14절을 보면 "내 이름으로 일컫는 내 백성이 그 악한 길에서 떠나 스스로 겸비하고 기도하여 내 얼굴을 구하면 내가 하늘에서 듣고 그 죄를 사하고 그 땅을 고칠지라"는 말씀이 있다. 우리는 부족하고 연약하지만 우리가 합심하여 신령과 진정으로 부르짖는다면 그 힘은 미약하나 이 땅을 변화시킬 수 있는 싹을 틔울 수 있다고 믿어 의심치 않는다. 우리는 다음과 같은 기도 제목을 놓고 합심하여 기도한다.

첫째, 나라와 민족을 위해 기도한다. 한국의 중심에서 지도력을 발휘해 나라를 이끌어 가는 정치인과 경제인 가운데는 그리스도인이 많다. 그럼에도 불구하고 나라를 영화롭게 하는 하나님의 공의가 제대로 발휘되지 않아 정치 경제가 불안정하다. 이런 때일수록 기도의 일꾼들이 더욱 합심하여 기도해야 한다. 우리는 지도자들을 대신하여 회개기도를 하고, 하나님의 뜻과 정의가 우리나라에 온전히 뿌리 내리도록 기도한다.

둘째, 북한을 품는 기도를 한다. 북한에는 수많은 지하교회 교인들이 존재한다. 종교의 자유가 없는 북한에서 이들은 핍박받으며 예수를 믿고 있다. 우리는 이들을 위해 기도로 후원하며, 북한의 전 지역에 복음이 전파될 수 있도록 기도한다. 또한 하루 빨리 통일을 이루어 그리스도인이 합심하여 세계 복음 전파에 힘쓰게 될 날을 고대한다.

셋째, 우리의 가정을 위해 기도한다. 하나님이 창조하신 가정은 사회의 기초가 되는 단위다. 가정이 건강하면 사회가 건강해지고, 사회가 건강하면 나라와 민족이 건강해진다. 우리가 가진 대부분의 문제는 가정에서부터 비롯된다고 볼 수 있다. 힘이 없어서 넘어지는 것이 아니라 우리를 지탱해 주는 가정에 힘이 없기 때문에 넘어진다. 가정의 뿌리가 튼튼할 때 자신이 바로 설 수 있다는 믿음을 바탕으로 우리는 서로의 가정을 위해 합심하여 중보기도를 한다.

넷째, 우리 자신 한 사람 한 사람을 위해 기도한다. 주변 지체들

중에는 신앙생활을 하다가 영적 전쟁을 치르거나 곤경에 처한 사람들이 있다. 우리는 이러한 지체들을 위해 마음을 모아 기도한다. 각자의 문제를 놓고 서로를 위해 기도하다 보면 기도 동역자들은 더욱 친밀한 관계를 형성하게 되고, 이때 비로소 우리는 주님 안에서 진정한 공동체가 될 수 있다. 나는 중요한 사역을 앞두고 있거나 힘든 영적 전쟁을 치르고 있을 때 이들에게 어김없이 기도 요청을 한다. 내가 영적 전쟁에서 승리하고 지금까지 하나님의 사역을 온전히 마칠 수 있었던 것은 바로 동역자들의 기도 덕분이다.

"진실로 너희에게 이르노니 무엇이든지 너희가 땅에서 매면 하늘에서도 매일 것이요 무엇이든지 땅에서 풀면 하늘에서도 풀리리라."마 18:18

한국의 기도 동역자들이 합심하여 기도하고 하나님의 공의를 구한다면 우리가 현재 살아가는 대한민국은 더욱 온전한 모습으로 변화될 것이다. 하나님은 우리를 중보 기도자로 부르셨고 우리의 기도를 들으며 새롭게 하실 것이다. 우리 자신을 위해, 우리 가정을 위해, 나라와 민족을 위해 주위의 기도 동역자들과 함께 열방을 향해 부르짖으라.

4. 간절함을 갖고 하늘 문을 여는 기도를 드려라

원대한 비전을 이루기 위해 준비해야 할 가장 중요한 무기는 기도다. 그러나 원대한 비전을 실현시키는 기도는 단순한 기도가 아니다. 오직 간절함 가운데 하늘 문을 여는 기도가 진정한 역사를 일으킨다. 하나님은 우리의 간절함을 보기 원하신다.

"나를 사랑하는 자들이 나의 사랑을 입으며 나를 간절히 찾는 자가 나를 만날 것이니라."잠 8:17

나는 대학을 졸업한 후 한국에서 전국 교회를 돌아다니며 신앙간증 집회의 강사로 쓰임받아 왔다. 신앙간증 집회를 마칠 때 나는 항상 성도들과 함께 하늘 문을 여는 기도를 드린다. 통성기도를 시작하기 전 나는 성도들에게 각자의 가슴 문을 찢으라고 선포한다. 가슴 문을 찢을 때 하나님은 우리에게 그의 영을 불어넣어 주신다. 우리가 간절함을 갖고 하나님을 구할 때 비로소 하늘 문을 열 수 있는 것이다.

수원 순복음교회에서 있었던 신앙간증 시간이었다. 나는 여느 때처럼 간증을 끝낸 후 성도들과 함께 하늘 문을 여는 기도를 드리자고 했다. 교인들과 나는 연합하여 통성기도를 했다. 나는 모든 열정을 다해 강단에서 기도를 드렸고 진정으로 하늘 문을 열고자 부르짖었다. 예수님이 십자가에 못 박히시기 전 겟세마네 동산에서 하나님께 기도로 부르짖을 때 땀이 피로 변한 일을 가슴에 깊이 새기며 나는 목이 터질 정도로 외치고 또 외쳤다. 감사하게도 수원 순복음교회 당회장이신 이재창 목사님도 강단에 올라 합심하여 기도해 주셨다. 그리하여 기도의 힘은 더욱 커졌고 하늘 문이 진정으로 열리는 듯했다.

온 힘을 다해 기도하고 강단에서 내려왔을 때, 어느 권사님이 다가와서 예수님이 못 박혀 돌아가실 때 성소 휘장이 위에서 아래까지 찢어져 둘이 되는 모습을 환상으로 보았다면서 진정 하늘 문이 열리는 듯했다고 말씀하셨다. 그날 그곳에 모인 많은 사람이 변화를 받고 하나님께 더욱 가까이 다가가는 역사를 체험했다. 나는 하나님이 그 시간 분명히 우리와 함께하셨고, 우리의 기도를 받으셨다고 확신한다.

얼마 후 영락교회에서도 동일한 기적이 일어났다. 신앙간증을 마친 나는 어김없이 성도들과 함께 하늘 문을 여는 기도를 드렸고, 그 현장에서 수백여 명의 사람이 도전과 비전을 받는 기적이 일어난 것이다.

어떤 학생은 하나님이 자신에게 큰 계시를 주셨다면서 기뻐 어쩔 줄을 몰라 했다. 또 다른 학생은 지금까지 어떤 목표나 꿈이 없

하늘 문을 여는 기도를 드린 수원 순복음교회에서 하나님의 큰 기적을 체험했다.

이 살아왔는데, 이 시간 하나님이 자신에게 뚜렷한 비전을 내려주셨다면서 흥분된 마음을 감추지 못했다. 어떤 집사님은 하나님의 영이 내려와 그 집회장을 뒤덮는 환상을 보았다고 전해 왔다. 이날 우리는 살아 계신 하나님을 체험하는 귀한 시간을 가졌다.

하나님은 그분의 얼굴을 간절하게 구하는 그리스도인을 만나 주시고 다양한 수단을 통해 그들을 만지고 복을 내려주신다. 만약 우리의 기도가 하늘에 상달되기를 원한다면 먼저 우리의 마음 문을

교회 신앙간증 후 어린 아이들은 때때로 하나님께서 비전을 주셨다면서 기뻐했다.

찢어야 한다. 그 다음에는 간절함을 가지고 하늘을 향해 부르짖는 기도를 해야 한다. 우리는 간절한 기도의 힘을 믿어야 한다. 하나님은 부르짖는 자에게 복을 주시고 응답하신다. 우리의 원대한 비전을 이루기 위해 오늘도 깨어 기도하라.

5. 담대한 자가 비전을 이룬다

"너는 칼과 창과 단창으로 내게 오거니와 나는 만군의 여호와의 이름 곧 네가 모욕하는 이스라엘 군대의 하나님의 이름으로 네게 가노라."삼상 17:45

비전을 이루는 자는 담대하다. 골리앗 앞에 선 용맹스러운 다윗처럼 담대한 사람은 하나님의 역사를 일으킨다. 어린 소년에 불과했던 다윗은 이스라엘 군대조차 두려워하던 거인 용사 골리앗에게 물맷돌 다섯 개를 들고 대결을 신청할 정도로 담대했다. 우리는 그의 담대함을 본받아야 한다.

아무리 큰 비전을 가지고 있더라도 두려움이 존재한다면 그것을 결코 이룰 수 없다. 우리에게 두려움을 주는 장본인은 바로 어둠의 세력이다. 우리가 비전을 이루는 것은 곧 하나님의 뜻이 이루어진다는 것이기에 어둠의 세력은 수단과 방법을 가리지 않고 우리를 쓰러뜨리려고 할 것이다. 그러나 우리는 "내가 사망의 음침한 골짜기로 다닐지라도 해를 두려워하지 않을 것은 주께서 나와 함께하심이라 주의 지팡이와 막대기가 나를 안위하시나이다"^{시 23:4}라는 말씀처럼 전혀 두려워할 필요가 없다. 하나님이 우리의 방패막이 되어 주시기 때문이다.

대학 졸업식을 앞두고 나는 학과장님으로부터 과를 대표하여 졸업식 때 졸업 연설을 낭독하지 않겠느냐는 제의를 받았다. 일생에 단 한 번뿐인 영예로운 기회였지만 순간 두려움이 엄습했다. 수많은 사람 앞에서 졸업 연설문을 읽는다는 사실이 큰 부담으로 다가왔기 때문이다. 나는 졸업 연설을 정중히 거절했고, 기회는 다른 학생에게 넘어갔다.

그 당시만 해도 졸업 연설의 기회를 포기한 것에 대해 후회하리라고는 생각하지 못했다. 그러나 나는 지금까지도 다시 돌아오지 않을 기회를 놓쳐 버렸다는 사실에 후회하고 있다. 졸업식 당일, 과대표로 졸업 연설을 낭독하는 학생을 보면서 나는 담대하지 못했던 내 모습을 회개하며 하나님께 담대한 믿음을 달라고 간절히 기도했다. 하나님은 이런 경험을 통해 나에게 큰 깨달음을 주셨다. 모든 결정에는 책임이 따르고 그 책임은 고스란히 자신의 몫으로 돌아온다는 것이다.

그뒤 하나님은 내게 담대함을 허락하셨다. 하나님이 주신 담대함으로 나는 현재 복음을 전파하는 일에 힘쓰고 있다. 강연이나 신앙간증을 하다 보면 적게는 수십 명, 많게는 수천 명에 이르는 사람이 강단에 서 있는 나를 주시한다. 일제히 나를 향하는 시선을 느끼면서 예전의 나였다면 두려움으로 입을 떼지 못했을 것이다. 그러나 이제는 담대함을 허락하신 하나님의 은혜로 더 이상 사람들의 시선을 피하지도 두려워하지도 않는다. 나를 보호해 주시는 성령님의 힘을 기대하며 힘차게 복음을 전파하기 위해 애쓸 따름이다. 이런 담대한 믿음은 하나님이 나의 방패막이 되어 주신다는 믿음이 있기에 가능한 것이다.

하나님은 믿음의 사람을 통해 승리하기 원하신다. 겸손한 자에게 은혜와 능력을 부어 주시고 담대한 자를 사용하기 원하신다. 비록 은혜를 입어 능력을 가지고 있더라도 담대하지 못하다면 하나님은 온전하게 그 사람을 사용하실 수가 없다. 예수님은 제자들을 부르실 때 거리에 가만히 앉아 있는 자들에게 "나를 따르라"고 말씀하신 것이 아니라 세관에서 열심히 돈을 세고 있는 마태와 갈릴리 바닷가에서 고기를 잡기 위해 열심히 그물을 깁는 베드로를 부르셨다.

하나님은 자신의 일에 충실한 사람을 뽑아 사용하신다. 예수님은 제자들의 가능성을 보신 것이며, 그들에게 당장 모든 것을 포기하기를 요구하신 것은 그들의 담대함을 보기 위함이었다. 이를 통

스탠포드 졸업식에서 10년이란 유학 생활에 든든한 버팀목이 되어 준 사랑하는 가족과 시간을 보냈다.

해 우리는 하나님이 믿음을 가지고 주님을 담대하게 따를 수 있는 사람을 원하신다는 사실을 알 수 있다.

당신은 지금 무엇을 위해, 무엇을 붙잡고 살아가는가? 눈에 보이지 않는다고 해서 간과하지 말라. 비전을 이루기 위해서는 당장 눈에 보이는 물질이 아닌 어떤 명분을 가지고 누구의 이름을 의지하며 앞으로 나아가는가가 중요하다. 손에 쥐고 있는 물맷돌이 아닌 나와 함께하시는 임마누엘 하나님을 바라보라.

여호와 하나님은 우리를 항상 눈동자처럼 지켜 보호해 주신다. 그러므로 담대함을 가지고 하나님이 주신 비전을 이루어 가는 주님의 귀한 일꾼이 되라.

03

참된 그리스도인의 삶

『나는 한국의 가능성이고 싶다』가 출간된 후 《국민일보》의 김무정 기자님과 인터뷰를 가진 적이 있다. 인터뷰를 마치고 김 기자님은 『육이 죽어 영이 산 사람』이란 기독교 서적 한 권을 건네 주셨다. 이 책은 김무정 기자님이 취재하다 만난 후쿠시게 다카시라는 일본 사람에 대해 집필한 기독교 부문 베스트셀러 도서였다. 집에 돌아온 나는 그 책을 꼼꼼히 읽어 내려갔다.

이 책은 하나님을 모르던 세계 정상의 전자과학 기술자인 후쿠시게 다카시 씨라는 분이 기적적으로 하나님을 만나게 된 이야기를 담고 있다. 실력과 돈, 명예를 최고의 가치라고 여기며 살았던 그는 어느 날 스키장에서 뇌경색으로 쓰러졌다. 그가 회생할 것이라고 생각한 사람은 아무도 없었고, 수술 후 21일간 혼수 상태로 죽음 직전에까지 이르렀다.

그러나 혼수 상태에서 그는 예수님을 만나 기적적으로 회생하고 살아 계신 하나님을 체험하는 놀라운 경험을 했다. 비록 퇴원 후에 뇌경색의 후유증으로 몸은 불구가 되었지만, 하나님의 영이 그와 함께해 지금은 한국과 일본을 오가면서 많은 그리스도인에게 신앙의 도전과 희망을 주고 있다.

인간의 육은 죽이고 하나님의 영을 초청하라

책을 읽는 동안 나는 말로 표현하지 못할 주님의 만지심이 느껴졌다. 마지막 책장을 넘기고 나서 나는 참된 그리스도인의 삶이 과연 무엇인지 곰곰이 생각해 보았다. 그 결과 참된 그리스도인의 삶이란 바로 육이 죽어 하나님의 영이 임한 사람이라는 사실을 깨달았다.

교회 목사님의 설교 중 "그리스도인의 최종 삶의 목표는 하나님께 완전히 항복하는(surrender) 삶이다"라는 말씀이 있었다. 개인적인 자아와 의지를 내려놓고 오직 하나님만 의지하며 사는 삶이 진정 내가 추구해야 할 삶이라고 느꼈다.

그 책을 읽은 나는 김무정 기자님에게 부탁해 다카시 씨의 한국

집이 있는 일산으로 찾아가 그를 직접 만날 수 있었다. 나에게 큰 은혜를 끼친 다카시 씨를 직접 만날 수 있다는 기대감에 가슴이 설레었다. 그러나 그를 만나기 전 기자님은 내게 이렇게 말했다.

"다카시 씨를 만나러 갔다가 혹시 그가 현영 씨를 보러 방에서 나오지 않는다고 해도 실망하지 말아요. 그동안 그냥 돌아간 손님도 많았으니까요."

나는 김 기자님의 말씀을 듣고 다카시 씨의 행동을 조금은 이해할 수 있었다. 만약 다카시 씨가 내가 알고 있는 진정한 '육이 죽어 영이 산 사람'이라면 사람의 눈치를 보지 않고 오로지 하나님의 부르심에 이끌려 사는 사람일 것이다. 따라서 그는 하나님이 허락하지 않는 손님이라면 만나지 않는 것이 옳은 일이라고 생각했을 것이다.

다카시 씨의 집에 갔을 때 다행히 그가 방에서 모습을 드러냈다. 이미 책과 기독교 TV 프로그램을 통해 익히 보아 왔던 터라 그와의 첫 만남이 그리 낯설지 않았다. 사고로 반신불수가 된 그는 부인의 도움 없이는 제대로 걸을 수조차 없었지만, 그의 미소는 어느 누구보다 온화했다. 거실로 나오는 중에 그의 입은 쉴 새 없이 기도를 하고 있었다. 후쿠시게 다카시 씨는 예상대로 육이 죽고 하나님의 영에 이끌려 사는 사람이었다.

'하나님과 하루 24시간 대화를 하는구나. 어떻게 하면 저런 경

지에 이를 수 있을까? 저분은 정말 하나님의 영에 이끌려 사는 사람이구나.'

오직 하나님만 의지하며 사는 다카시 씨의 모습을 보며 내심 부럽고 존경스러웠다. 거실로 나와서 나를 본 그는 의례적인 인사말을 제쳐 놓고 나를 위해 기도해 주길 원했다. 나는 엉겁결에 기도를 받게 되었고 옆에 있던 다카시 씨의 부인이 통역을 해 주셨다. 다카시 씨는 하나님이 주신 영감으로 이미 나를 꿰뚫고 있는 듯한 기도를 해주셨다.

"현영 씨에게는 하나님의 지혜가 임해 있습니다. 그 지혜를 갖고 그리스도인의 선한 영향력을 끼치길 바랍니다. 많은 사람이 현영 씨를 통해 일하시는 하나님을 보게 될 것이며, 그들은 다시 일어설 것입니다. 하지만 지혜란 하루아침에 없어질 수도 있다는 것을 기억하기 바랍니다. 부디 겸손한 마음 변치 말길 기도합니다."

다카시 씨의 기도는 30분 넘게 계속되었다. 수많은 예언의 말씀이 그의 입으로부터 전해졌고 축복의 말씀도 선포되었다. 나는 계속해서 "아멘"으로 화답하며 모든 말씀을 내 것으로 만들기 위해 애썼다. 성치 않은 몸임에도 불구하고 나를 위해 긴 시간 기도해 준 다카시 씨가 너무 고마웠다.

나는 비로소 그를 만난 것은 하나님의 계획하심이고, 그에게 기도를 받은 것도 하나님의 주관 아래 이루어졌다는 사실을 알 수 있었다. 그는 진정으로 오직 하나님의 영에 이끌려 사는 사람이기 때문이다.

다카시 씨와의 만남은 내게 신선한 충격을 안겨 주었다. 하나님의 살아 계심을 분명하게 느낀 귀중한 시간이었다. 나는 다카시 씨처럼 내 육은 죽고 오직 하나님의 영에 이끌려 하루하루를 살아가고 싶다고 갈망하기 시작했다. 주먹을 불끈 쥐고 변화된 삶을 살겠다고 다짐했다.

하나님과의 관계의 문이 닫혀 있다면 그것은 우리 인간의 자아가 완전히 깨어지지 못했기 때문이다. 죄로 뒤덮인 인간의 육을 버리고 하나님의 영을 우리 안에 온전히 받아들여야 한다. 그때야 비로소 우리는 하나님의 뜻을 좇는 귀한 일꾼으로 거듭날 수 있는 것이다.

"형제들아 내가 그리스도 예수 우리 주 안에서 가진바 너희에게 대한 나의 자랑을 두고 단언하노니 나는 날마다 죽노라." 고전 15:31

기적을 보고 싶다면 금식기도와 중보기도의 능력을 활용하라

다카시 씨를 만나고 얼마 지나지 않아 CTS 방송의 〈내가 매일 기쁘게〉라는 프로그램에 출연한 적이 있다. 이 방송을 위해 나는 아침과 점심을 금식하며 하나님의 놀라운 기적을 갈망했고, 가족과 지인들에게 중보기도를 부탁하면서 방송 준비를 했다. 내가 누린 하나님의 은혜와 축복이 시청자들에게도 임하는 역사를 체험하기를 바랐다.

녹화가 시작되기 전 나는 하나님의 영이 나와 동행하리란 확신이 들었다. 아침과 점심을 굶었기에 방송을 하다 혹시 허기가 져서 힘이 없지 않을까 가족들은 우려했지만, 나는 오히려 밥을 잘 챙겨 먹은 사람 이상으로 힘이 솟고 정신도 또렷했다. 한 시간 정도 진

CTS의 〈내가 매일 기쁘게〉에 출연해 진행자이신 정애리 권사님과 내 삶에 임한 하나님에 관해 이야기를 나누었다.

행된 녹화는 순조로웠고, 오직 하나님만을 의지하며 임했던 방송을 무사히 끝마치고 집으로 돌아올 수 있었다.

며칠 후 사역을 위해 지방에 잠시 내려가 점심을 먹고 있는데, CTS 방송국에서 전화가 한 통 걸려왔다.

"조현영 씨, 안녕하세요? CTS 방송국입니다. 〈내가 매일 기쁘게〉 프로그램에서 현영 씨의 방송이 나간 직후 시청자들로부터 연락처와 『나는 한국의 가능성이고 싶다』에 관한 전화가 폭주해서 방송국 전화가 거의 마비 상태예요. 기뻐해야 할지 슬퍼해야 할지 모르겠네요. 하하."

잠시 후 〈내가 매일 기쁘게〉의 담당자 분께서 또 전화를 하셨다. CTS 인터넷 게시판이 폭주했으며, 방송이 나가고 한 시간 동안 무려 수백 개의 시청자 글이 올라왔다고 하면서 이런 일은 처음이라고 했다. 그 자신도 이렇게 많은 시청자가 은혜받을 줄은 예상도 못했다면서 하나님께 영광을 올려 드린다고 했다.

이렇게 두 통의 전화를 받으면서 나는 하나님이 방송하는 그 순간에도 임하셨다는 사실을 가슴 속 깊이 느낄 수 있었다. 모든 면에서 부족한 나를 통해 내 안에 거하시는 하나님의 빛을 시청자에게 보이신 것이다.

그날 저녁 집으로 돌아와 여느 때와 같이 이메일과 미니홈피, 내가 운영하고 있는 '스탠포드 카페' 등을 확인하는데, 이곳에도 너무 많은 글이 올라와 있어 모두 읽기가 벅찰 정도였다. 글의 대부분은 방송을 본 시청자들이 남긴 것이었다. 방송을 보고 하나님의 놀라운 역사를 체험하고 큰 도전을 받았다는 내용이 주를 이루었다.

그중에서 지금까지 가장 기억에 남는 글은 자신의 아이가 오랫동안 하나님을 멀리했는데, 방송을 본 후 변화하여 하나님 안에서 큰 비전을 품게 되었다면서 눈물의 간증을 해 주신 어느 학부모의 글이었다.

시청자의 사연을 읽으면서 가슴이 벅차올랐다. 나 또한 이렇게 놀라운 반응이 있을 줄 예상하지 못했기 때문이다. 이렇게도 많은 사람이 방송을 보고 은혜받은 이유를 곰곰이 생각해 본 결론은 역시 금식기도와 중보기도의 힘 덕분이라는 것이다.

금식기도와 중보기도의 능력은 교회에서 진행된 신앙간증 집회에서도 여지없이 증명되었다. 극동방송 대표이사 김장환 목사님이 원로목사로 계신 수원 중앙침례교회에서 청소년을 위한 신앙간증 집회를 인도했을 때의 일이다.

나는 그 집회를 위해 며칠 전부터 준비기도에 들어갔고, 주변 분들께 중보기도를 부탁했다. 집회 날 아침 금식기도를 하며 하나님의 놀라우신 기적이 함께하기를 바랐다.

교회에 도착해서 집회에 참석한 아이들을 마주했을 때 나는 그들의 표정에서 하나님의 놀라운 계획을 느낄 수 있었다. 아이들의

놀라운 축복을 경험했던 수원 중앙침례교회의 간증 집회
이날 각 지체에게 책에 사인해 주며 간절한 마음으로 기도해 주었다.

눈빛은 하나님의 은혜를 갈망하는 간절함으로 불타고 있었다. 간증 집회를 인도하는 동안 하나님은 나의 입을 주도하셨다. 오로지 하나님의 영에 이끌려 한 시간 동안 내가 학창 시절에 체험한 하나님과 20일 금식기도를 통해 얻은 하나님의 지혜, 감당할 수 없을 만큼 누렸던 하나님의 축복을 함께 나누었다. 신앙간증이 끝나고 집회에 참석한 수백 명의 학생과 일심동체가 되어 하늘 문을 여는 통성기도를 드렸다.

"하나님! 이 시간 주님 앞에서 결단함으로 나가길 원합니다. 온 마음을 다해 우리의 의지를 주님께 내어 드리오니 우리에게 지혜를 내려주옵소서!"

통성기도를 인도하는 동안 하나님의 크신 은혜가 느껴져 한없는 눈물을 흘렸다. 함께 기도하던 학생들도 온 열정을 쏟으며 간절함으로 각자의 기도를 드렸다. 그 순간 나는 하나님이 우리의 간절함을 받으셨다는 영감을 받았다. 하나님은 기도하는 한 사람 한 사람에게 그분의 영을 불어넣어 주셨다.

"너희는 내게 부르짖으며 와서 내게 기도하면 내가 너희를 들을 것이요 너희가 전심으로 나를 찾고 찾으면 나를 만나리라."렘 29:12-13

수원 중앙침례교회에서의 집회가 끝나고 한 달 정도 지났을 무렵, 그 집회에 참석했던 한 학생으로부터 이메일 한 통을 받았다. 메일에는 그 학생이 집회 때 직접 하나님의 은혜를 체험했고, 놀라운 기적을 경험했다는 내용이 담겨 있었다. 중학교 3학년인 그 학생은 중하위권에 머물던 성적 때문에 평소 고민이 많았다고 한다. 그런데 집회 때 큰 도전을 받고 열심히 공부했더니 중간고사에 비해 기말고사 성적이 무려 전교 50등 이상 올라갔다는 것이었다. 참으로 은혜롭고 기쁜 내용이 아닐 수 없었다. 나는 하나님께 모든 영광을 올려 드렸다. 그 학생에게 은혜를 끼친 분도, 도전을 주신 분도 모두 하나님이셨다.

나는 그 이후로도 더욱 많은 학생들에게 감사 메일을 받았다. 대부분 자신의 성적이 올랐다는 내용이었다. 그날 집회에 참석했던 중·고등학생들의 성적이 대부분 단기간에 향상되는 놀라운 기적이 일어났다는 내용이 속속 들려왔고, 얼마 후 교육부 담당 목사님이 직접 전화를 주시기에 이르렀다. 목사님은 집회 때 받은 도전과 은혜를 두 달이 지난 지금도 아이들이 사모하고 있다면서 고마움을 전하셨다.

수원 중앙침례교회 학생들의 성적이 향상되었던 기적은 절대로 거저 일어난 일이 아니다. 그날의 집회를 위해 나는 금식기도와 중보기도를 하며 하나님의 온전한 역사하심을 기대했고, 집회에 참석한 학생들 역시 간절한 마음으로 기도했기에 하나님의 놀라운 은혜와 기적이 가능했던 것이다. 그때 이후로 나는 금식기도와 중보기도의 놀라운 능력을 다시 한 번 실감했다.

　삶을 살아가는 동안 수많은 일이 우리 앞에 펼쳐진다. 대학에 진학하기 위한 입학 시험, 입사 시험 등 경중을 따질 수 없는 중요한 일을 앞두었을 때 우리는 금식기도와 중보기도의 능력을 적절히 사용해야 한다. 그러면 하나님이 그 일을 책임져 주심은 물론이고 놀라운 결과를 우리에게 보여 주실 것이다.

04
성숙한 그리스도인

"누구든지 사람 앞에서 나를 시인하면 나도 하늘에 계신 내 아
버지 앞에서 저를 시인할 것이요 누구든지 사람 앞에서 나를 부인
하면 나도 하늘에 계신 내 아버지 앞에서 저를 부인하리라." 마
10:32-33

우리는 예수님의 굳센 신앙을 본받아 종교 문제와 신앙에 대해
비난받는 일이 생기더라도 절망하거나 좌절하지 말아야 한다. 세
상을 살다 보면 자의든 타의든 간에 때로는 신앙적 도전을 받을 때
가 있고, 단지 그리스도인이라는 이유 때문에 비난을 감수해야 하
는 상황이 오기도 한다. 그러나 잊지 말아야 한다. 우리가 세상에

서 담대히 하나님을 증거하고 그분의 자녀 됨을 자랑스러워할 때 하나님은 우리를 더욱 큰 사람으로 세우신다.

하나님을 증거하라

언제 어디서나 나는 떳떳하게 그리스도인임을 밝히려고 노력한다. 이런 노력은 첫 책인 『나는 한국의 가능성이고 싶다』에서도 엿볼 수 있다. 탈고 후 책의 첫 장에 하나님을 향한 내 믿음의 선포를 하였다.

> 제 모든 영광, 은혜로우신 하나님께 올려드립니다.
> 내가 전심으로 하나님께 감사하오며, 내가 그를 기뻐하고
> 즐거워하며 지극히 높으신 그 이름을 찬송합니다. 시편 9:1-2

하나님을 믿는 사람이 이 글을 본다면 더없이 반갑겠지만, 그렇지 않은 사람이라면 거부감을 느낄 수도 있을 것이다. 그러나 분명한 사실은 이 책을 보는 모든 사람은 내가 하나님께 속한 사람임을 알게 될 것이고, 나는 그들에게 자랑스럽게 하나님을 증거할 수 있다는 것이다. 나는 항상 떳떳한 그리스도인이 되길 원하고, 하나님에 대한 자랑이 내 입에서 끊이지 않기를 기도한다.

이런 노력이 결코 헛되지 않음을 깨닫게 해 준 사건이 하나 있었다. 하루는 한 독자로부터 이메일을 받았다. 그는 서점에서 우연히 내 책을 보고 글에 감화되어 저자인 나에게 메일을 보내게 되었다고 서두에 밝히면서 다음과 같은 내용을 적었다.

"저는 불교신자입니다. 어렸을 때부터 부처님을 믿어 왔고 항상 저에게 베풀어 주신 은혜에 감사하며 마음속으로 기도하고 살았는데, 최근 들어 내 마음속에 종교라는 것이 희미해진다는 생각이 들었습니다. 그러던 중 현영 씨의 『나는 한국의 가능성이고 싶다』라는 책을 보게 되었습니다. 어린 나이에 자신의 꿈을 하나씩 이루어 나가는 현영 씨의 모습에 감동했고, 저는 현영 씨가 믿고 있는 하나님에 대해 알고 싶다는 생각을 처음으로 하게 되었습니다. 요즘처럼 누군가의 정신적 힘이 필요한 이때 다시 한 번 종교에 대해 생각하게 되었습니다."

그의 글을 읽어 내려가면서 나는 하나님의 뜻이 이루어졌다는 느낌을 받았다. 지금까지 『나는 한국의 가능성이고 싶다』를 읽고 도전을 받아 더욱 열심히 공부하게 되었다는 이야기나 큰 비전을 품게 되었다는 독자의 메시지는 많이 받았지만, 이 책을 통해 하나님을 알기 원한다는 내용은 처음이었기 때문이다. 하나님의 뜻 가운데 쓰인 책이라는 확신을 갖게 된 순간이었다.

그 이후로 책을 통해서나 내 간증을 통해서 하나님을 알게 되었다는 사람이 하나 둘씩 나타나기 시작했다. 다음은 내가 진행하는 무료 영어 강습의 한 수강생이 보낸 메일이다.

"저는 지금 신실하게 하나님을 섬기고 있으나 안타깝게도 저희 부모님은 하나님을 모르셨습니다. 그래서 이따금씩 부모님께 하나님의 사람인 조현영 선생님 얘기를 꺼내곤 했습니다. 얼마 전 영어 수업 후 가진 기도 모임 중 선생님이 자녀를 위한 부모님의 기도가 얼마나 중요한지를 말씀해 주셨는데, 이 말씀을 저희 어머니께 알려 드렸어요. 그리고 며칠 후, 어머니가 선생님의 책과 간증을 TV로 보신 후 감화되셨는지 오늘 교회에 등록하시고 저와 함께 예배도 드리셨어요. 어머니를 교회로 인도하기 위해 수년간 눈물로 하나님께 간절히 기도드렸는데, 그 기도가 이렇게 응답이 되어 돌아오니 기쁨의 눈물을 주체할 수가 없습니다. 하나님을 증거해 주신 선생님께 뭐라고 감사 말씀을 드려야 할지… 이 모든 영광을 하나님께 올려 드립니다."

부족하고 흠 많은 나를 통해 이제까지 알지 못하는 누군가에게 복음이 전파되었나는 사실이 놀라울 따름이었다. 그러나 이것은 분명 하나님이 내게 주신 사명이고, 이 사명을 실천하기 위해 나는 오늘도 복음 전파에 온 힘을 쏟고 있다. 아직은 내 노력에 비해 성

코엑스 반디앤루니스에서 있었던 저자 강연회
베드로처럼 영향력 있는 선지자가 되길 소망하며, 교회 밖에서도 주님의 복음을
전파하기 위해 노력하고 있다.

과는 미약하지만 언젠가는 사도 베드로처럼 큰 영향력을 끼치는 사람이 되기를 소망한다. 그가 말씀을 전할 때 3천 명의 사람이 회개하고 주님 앞으로 나온 것처럼 나도 하나님의 능력을 온 천하에 나타내는 삶을 살기 갈망한다.

우리는 주님의 복음을 세상에 전파해야 할 하나님의 전사이며, 하나님을 증거해야 하는 사명을 안고 이 땅에 태어났다. 신앙적으로나 영적으로 도약하는 그리스도인이 되길 원한다면 늘 성령 충만함으로 주님과 동행하며 하나님의 전능하심을 선포하라. 당신의 입을 통해 수많은 영혼이 구원받을 수 있을 것이다.

연단으로 힘들어 하되 포기하지는 말라

지난 2002년부터 포털사이트인 다음에 '스탠포드 카페'라는 비영리 유학 사이트를 개설하여 스탠포드 대학교를 가고 싶어 하는 학생은 물론 미국 유학을 가고 싶어 하는 학생과 학부모를 위해 유학 정보를 제공해 오고 있다. 대학 시절, 바쁘게 생활하면서도 나는 매일같이 하루에 한두 시간 정도 이들을 위해 시간을 투자했다. 그런 활동이 당시의 내 위치에서 다른 사람을 섬길 수 있는 좋은 통로가 아닐까 생각했고, 사람들이 도움을 받고 나에게 마음의 문을 열 때 복음이 전파될 수 있으리라 굳게 믿었다.

방학이 되어 한국에 잠시 나올 때면 무료 유학 설명회를 개최해 보다 실질적인 유학 정보에 목말라 하는 사람들에게 내가 가지고 있는 모든 지식을 전달하기 위해 애썼다. 이런 수년간의 노력 덕분인지 '스탠포드 카페'는 가입자 수가 1만 명을 훌쩍 뛰어넘었고, 나는 사람들로부터 두터운 신임을 얻기 시작했다.

그러던 어느 날, 여느 때와 다름없이 컴퓨터 앞에 앉아 인터넷에 들어갔는데, 어느 한 포털사이트에 내가 알지 못하는 글이 내 아이디로 올라와 있는 것을 발견했다. 언뜻 보기에 조회수도 높고 댓글의 수도 많았던 그 글을 읽으면서 나는 내 눈을 의심하지 않을 수 없었다. 이는 내가 알지 못하는 어느 네티즌이 나를 사칭하여 한국 사회를 적나라하게 비판해 놓은 글이었기 때문이다. 순간 나는 큰 충격에 휩싸였다. 얼핏 봐서는 나를 잘 아는 사람 같지 않았고, 단순한 시기심으로 사람들에게 나에 대해 안 좋은 인상을 심어 주려고 쓴 글이란 느낌이 들었다.

그 네티즌은 나를 사칭하여 무료로 유학 정보를 제공하는 것과 무료 영어 강습을 하는 이유는 차후에 영어 학원을 차리기 위한 목적이라는 말을 했고, 있지도 않은 이야기를 사실인 것처럼 써 놓았다. 글은 매우 논리 정연해서 글을 읽은 사람은 그 글의 내용을 모두 사실로 받아들이는 듯했다. 글이 올라온 지 하루가 채 되지 않았음에도 불구하고 조회수는 1만을 훌쩍 넘겼고, 수백 개의 댓글이 뒤따라 있었다.

　글을 읽은 사람들의 반응은 뜨거웠다. 어떤 사람은 내가 이런 글을 쓸 리가 없다고 하면서도 사람이란 모르는 거라면서 한 발 물러섰다. 또 다른 사람은 크게 실망했다면서 더 이상 내 말을 믿지 못하겠다고 했다. 예기치 못한 상황에 나는 당황했고 놀란 가슴을 주체할 길이 없었다. 당시 한 유명 여자 연예인이 악성 댓글로 인해 스스로 목숨을 끊은 사건이 생겼던 때라 더 이상 남의 일처럼 느껴지지 않았다.

　나를 사칭한 사람이 쓴 글의 여파로 나를 꼬집는 글은 하루가 다르게 늘어 갔다. 그동안 여러 경로를 통해 내 도움을 받았던 사람들조차도 악성 댓글에 동요되어 점차 등을 돌리기 시작했다. '스탠포드 카페'와 미니홈피를 통해서도 나를 비난하는 사람이 생겨났고, 그들은 인격모독도 서슴지 않았다. 사태는 점점 심각해져 갔고 내가 손쓸 수 있는 방법은 전혀 없었다. 이미 나한테서 등을 돌린 사람들과 나를 시기하는 사람들에게는 내 말이 모두 변명처럼 느껴질 거라 생각했기 때문이다.

　지난 5년 동안 주위의 이웃을 섬기고 복음을 전파하기 위해 애쓴 내 노력과 수고는 한순간에 물거품이 되어 버린 것만 같았다. 이미 내 자존심과 신의는 땅에 떨어진 지 오래였고, 나는 대인기피증에 걸린 사람처럼 사람들과 만나 눈을 마주치는 일조차 두려워하기 시작했다.

"여호와여 나의 대적이 어찌 그리 많은지요 일어나 나를 치는 자가 많소이다."시 3:1

다윗이 자신을 죽이러 쫓아오는 원수들을 피해 하나님의 도움을 간구하던 것처럼 나도 하나님께 "주님, 저를 지켜 주소서. 저는 심히 두렵고 괴롭사오니 저를 이 위기에서 건져내 주소서"라고 부르짖었다. 나는 간절히 하나님께 부르짖으며 간신히 하루하루 고통을 견뎌 내고 있었다.

많은 사람이 내게 등을 돌리고 돌을 던져도 하나님을 의지했기에 참아 낼 수 있었다. 그러나 지인들과 가족들의 상처받은 모습을 보아야 했을 때는 정말 어디론가 사라져 버렸으면 좋겠다는 생각뿐이었다. 며칠 후 인터넷을 통해 내 상황을 알게 된 누나가 걱정하기 시작했다. 비난의 글들을 읽으면서 적어도 가족만큼은 지금의 이런 상황을 알게 하고 싶지 않아 입을 꼭 다물고 있었는데, 누나가 이미 그 글들을 읽었다는 사실을 알고 눈앞이 캄캄해졌다. 나는 힘들게 말을 이었다.

"시간이 지나면 수그러들겠지. 너무 걱정하지 마. 근데 누나, 이번 일은 부모님께 말씀드리지 않았으면 좋겠어. 부모님이 알면 가슴 아파하실 거야, 알았지?"

나는 이렇게 신신당부하며 부모님에게는 걱정을 안겨 드리지 말자고 얘기했다. 그러나 이런 노력에도 불구하고 얼마 지나지 않아 아버지께서 우연히 나에 관한 안 좋은 글을 읽으시게 되었다. 꼼꼼한 성격의 소유자이신 아버지는 그 글을 비롯하여 뒤따르는 악성 댓글까지 모두 읽고 어머니에게 말씀하셨다. 이로써 우리 가족 전체가 이 사실을 알게 되었고, 나로 인해 가족들이 근심하고 걱정하게 되었다. 마음 아파하시는 부모님을 보면서 아들로서 심려를 끼쳐 드려 너무 죄송스러웠다.

나는 선택의 갈림길에 서 있었다. 내가 지금까지 소중히 여겨 왔던 봉사를 그만둬야 할 것인가, 아니면 마음을 다잡고 꿋꿋하게 지속해 나가야 할 것인가 갈등했다. 사심 없이 사람들을 위해 조금이나마 보탬이 되고 싶어 한 일인데, 이렇게 손가락질까지 받는 상황이 되니 더 이상 기쁜 마음으로 다른 사람을 섬길 자신이 없었다. 나는 이런 상황을 기도로 극복하려고 애썼다. 이대로 무너져 버린다면 나는 더 이상 내 이웃을 섬길 수도, 주님의 복음을 전할 수도 없기 때문이다.

"이 잔을 내게서 지나가게 하옵소서 그러나 나의 원대로 마옵시고 아버지의 원대로 하옵소서."마 26:39

순간 십자가에 못 박히시기 전 겟세마네 동산에서 얼굴을 땅에 대고 울며 기도하신 예수님의 모습이 떠올랐다. 피할 길이 있다면 당장이라도 피하고 싶었지만, 만약 내가 연단의 길을 걷는 것이 하나님의 뜻이라면 순종해야 한다고 믿었다. 적어도 하나님의 이름만큼은 붙잡고 싶었다.

그 일을 겪고 나서 한동안 정신적으로 몹시 쇠약해져 있었다. 식욕도 떨어지고 육체적 고통도 뒤따랐다. 사람들을 만나더라도 시선을 어디에 둘지 몰라 두리번거리게 되고, 겉으로는 웃고 있어도 속으로는 울고 있을 때가 많았다. 시간이 조금 흘렀음에도 누가 내 이름을 부를 때나 휴대폰이 울릴 때 깜짝깜짝 놀라고 밤에 악몽을 꾸는 등 그때의 일은 나에게 깊은 상처를 안겨 주었다.

다행스럽게도 지금까지 해 오던 온라인 활동과 무료 영어 강습의 끈을 놓지 않았다. 이 일마저 그만두게 된다면 남을 섬기는 참된 그리스도인으로 살겠다는 나의 의지가 영원히 꺾이고 말 것 같았기 때문이다. 지인들이 위로하며 나를 위해 기도해 주었던 것도 내가 무너지지 않을 수 있었던 버팀목이었다.

특히 영어 수업을 듣는 기도 동역자들이 내게 큰 힘이 되어 주었다. 그들은 내게 일어난 일이 빨리 지나가도록 눈물로 기도해 주었다. 이들과 함께였기에 그 고통의 긴 터널을 통과하는 데 큰 의지가 되었다.

하루는 나를 위해 중보기도를 해 주던 한 친구가 이런 말을 들려주었다.

"다윗과 요셉은 자신을 무너뜨리려는 많은 원수에 굴하지 않고 하나님께 기도하며 담대하게 자신의 신앙을 지켜 나갔어. 현영이 너도 하나님이 택하신 사람이기 때문에 이런 일을 겪고 있는 거야. 부디 다윗과 요셉처럼 이 시기를 믿음으로 굳건히 버텨 나가길 바란다."

친구의 말에는 알 수 없는 강한 힘이 실려 있었다. 고통 중에 있던 내게 그 친구는 정말 하나님이 보내신 천사와도 같은 존재였다. 그 후 나는 길고도 어두운 터널을 하나님의 도움으로 무사히 통과할 수 있었다. 하나님은 내게 "원수도 사랑하라"는 말씀을 되새기게 하시며 특별한 이유 없이 비난을 퍼부은 사람들을 용서하는 마음을 허락하셨다. 그들을 용서하는 일은 인간의 의지로는 결코 쉬운 일이 아니었으나, 하나님은 시험을 당할수록 나의 믿음을 실천해야 한다는 지혜를 주셨다.

나는 그들을 위해 중보기도를 시작했다. 만약 그들에게 큰 상처가 있다면 하나님께서 고쳐 주시라고 기도했다. 그리하여 그들이 더 이상 나 이후로는 절대 다른 사람을 비방하거나 헐뜯지 않게 해 달라고 간절히 기도했다. 그들을 위해 간절히 기도하다가도 때로는 지난 고통과 상처의 시간이 주마등처럼 떠올라 혼자 흐느껴 울기도 했다.

내가 아파 쓰러져 있을 때도, 혼자 울고 있을 때도 하나님은 언제나 함께 계셨다. 하나님께서는 나를 달래시고 내가 받은 상처를 빠르게 치유해 주셨다. 다행히 나를 비방하는 사람은 점점 줄어들었고, 이제는 더 이상 그 흔적조차 찾아보기 힘들 정도로 하나님께서 모든 것을 해결해 주셨다. 나의 상처도 믿기 힘들 정도로 말끔히 치유되었고 담대했던 예전 모습을 되찾을 수 있었다.

"너희가 감당치 못할 시험 당함을 허락지 아니하시고 시험 당할 즈음에 또한 피할 길을 내사 너희로 능히 감당하게 하시느니라."고전 10:13

그때의 연단은 내게 평생 잊지 못할 큰 교훈을 주었다. 온갖 핍박을 당하더라도 흔들리지 않는 견고하고 담대한 신앙으로 주께 영광을 돌리며 살아가야 한다는 것이었다. "자기의 영원한 영광에 들어가게 하신 이가 잠깐 고난을 받은 너희를 친히 온전케 하시며 굳게 하시며 강하게 하시며 터를 견고케 하시리라"벤전 5:10는 말씀처럼 하나님은 연단의 시간을 통과하게 함으로써 내 믿음을 견고케 하셨다. 나를 더욱 성숙한 그리스도인으로 빚으신 것이다. 또한 행여나 내가 자만에 빠지거나 교만해질 것을 대비해 미리 단련시키셨다.

하나님이 연단을 주시는 것은 우리에게 교훈과 더욱 큰 축복을 허락하기 위함이다. 우리는 연단을 통과하는 동안 끈기를 배우며 하나님을 온전히 의지하는 법을 배운다. 우리는 연단을 받을 때 하나님의 뜻을 먼저 간구해야 한다. 믿음의 사람이었던 요셉은 어릴 적부터 수많은 연단 속에서도 오직 하나님의 뜻과 의를 구했다. 그 후 하나님의 큰 축복으로 애굽의 총리가 되어 세상의 빛과 소금의 역할을 감당해냈다. 나 역시 연단을 통과한 후 내 삶에 큰 축복이 임했음을 고백한다.

연단의 시간이 끝나갈 즈음 『나는 한국의 가능성이고 싶다』가 무사히 세상에 탄생하여, 책을 읽은 수많은 한국 청소년이 도전받고 공부를 열심히 하게 되는 역사를 체험했다. 연단을 감사함으로 헤쳐 나갈 수 있는 용기는 곧 하나님의 지혜다. 겸손한 자를 높이시는 하나님의 뜻을 구하는 우리가 되길 소망한다.

나는 소금이 될 테니
당신은 빛이 되어 주세요

오늘도 나는 하나님 안에서 소망을 품고 비전을 위해 끊임없이 기도한다. 사람들은 가끔 내 비전이 무엇이냐고 묻는다. 그때마다 내 대답은 늘 하나다. 바로 '섬김의 삶'을 사는 것이다. 예수님이 섬김을 받기 위해서가 아니라 남을 섬기기 위해 이 땅에 오셨듯이, 나도 그리스도인으로서 몸과 마음을 다해 다른 사람을 섬기는 삶을 실천하고 싶다.

섬김의 삶을 실천하기 시작한 것은 지난 2002년 '스탠포드 카페'를 개설하여 유학을 꿈꾸는 사람들에게 경험자로서 최대한 유익하고 실질적인 정보를 제공한 시점부터다. 어릴 적부터 섬김의 삶을 몸소 실천해 오신 어머니를 보고 자라면서 가진 것을 남에게 베푸는 삶을 당연한 것이라 여겼다. 영어를 배울 기회가 없는 사람들에게 무료로 영어를 가르치는 쉽지 않은 결심을 하게 된 것도 어머니께서 평소 보여 주신 섬김의 삶이 내게 자연스럽게 배어 있었기 때문이다.

어머니는 내게 "남을 섬기고 싶다면 네가 남을 섬길 수 있는 자리로 올라가라"고 가르치셨다. 내가 부족하고 못난 사람이라면 어떤 사람도 나의 섬김을 받고 싶지 않을 것이다. 내가 능력과 자격을 갖춘 사람이 되어야만 다방면으로 사람들을 섬기며 주님의 복

'섬김의 삶'을 실천하고자 2006년부터 일주일에 두 번씩 '무료 영어 강습'을 진행하고 있다.

음을 전파할 수 있을 것이다.

"너희 중에 누구든지 크고자 하는 자는 너희를 섬기는 자가 되고 너희 중에 누구든지 으뜸이 되고자 하는 자는 모든 사람의 종이 되어야 하리라"막 10:43-44는 말씀처럼 내가 더욱 높이 올라감에 따라 지금보다 더 많은 사람을 섬길 수 있길 희망한다.

더욱 큰 섬김의 삶을 실천하고자 나는 오늘도 최선을 다하는 삶을 살려고 노력한다. 현재 군 입대를 앞두고 있는 나는 제대 후 미국 대학원에 진학하여 다시 한 번 세계의 두뇌들과 머리를 맞대고 경쟁할 계획을 갖고 있다. 하나님이 주신 원대한 비전을 이루기 위해 나는 아직 배워야 할 것이 많다. 한국의 위상을 드높이는 인물이 되기 위해 세계인과 나란히 어깨를 맞대고 세계적인 경쟁력을 쌓으려고 한다. "네 하나님 여호와께서 너를 세계 모든 민족 위에 뛰어나게 하실 것이라"신 28:1는 하나님의 말씀을 붙들고 오늘도 기도로써 전진할 뿐이다.

내게는 신명기 28장 1절 말씀을 실천해야 한다는 사명감이 있는데, 어떤 방법과 수단으로 그 자리에 오를 것인가는 구체적으로 정해 놓지 않았다. 그 이유는 행여나 인간적인 생각으로 자칫 하나님 안에서의 내 가능성을 속박하지 않을까 겁이 났기 때문이다.

나는 학창 시절 수많은 시행착오를 거치면서 하나님의 진정한 뜻을 찾으려고 부단히 노력했다. 그러나 인간적인 자아와 의지에 가려 하나님의 뜻을 거역한 적이 많았음을 고백한다. 고등학교 시절에 하나님이 내게 진정 원하셨던 공부를 멀리하고 음악에 빠져 살았던 것도 그중 하나다.

내가 신령과 진정으로 하나님을 의지하고 더욱 성숙한 그리스도인으로 거듭날 때 하나님은 내 가능성을 극대화시키실 뿐 아니라 더 큰 축복을 내려주시리라는 사실을 굳게 믿는다. 우주만물을 창조하신 전능하신 하나님의 도우심으로 세계를 무대 삼아 도약하고 싶다. 조국을 구한 애국자 요셉과 다니엘처럼 나 역시 언젠가 한국

CBS의 〈새롭게 하소서〉에 출연하여 그리스도인의 '섬김의 삶'에 대해 이야기했다.

경제 발전에 기여하는 하나님의 사람이 되기를 꿈꾼다.

지난 수개월간 하나님의 사역을 하며 내게 새로운 꿈이 생겼다. 그것은 바로 한국 경제 발전에 기여하는 인물을 넘어, 영적으로 억눌린 사람들을 자유롭게 하고 그들을 도약시키는 영적 지도자가 되는 것이다. 평신도 사역자로서 조용기 목사님과 빌리 그레이엄 목사님처럼 전 세계적으로 많은 영혼을 구원하는 사역을 감당하는 것이 바로 나의 또 다른 비전이다. 이것이 진정 하나님이 그리스도인들에게 궁극적으로 바라시는 섬김의 삶이 아닐까 생각한다. 이 모든 꿈을 이루기 위해 오늘도 바삐 뛰며 오직 하나님의 영에 이끌려 앞으로의 날을 살아가려고 한다.

이제 우리는 하나님 안에서 더 큰 비전을 품어야 한다. 우리가 하나님 안에서 굳센 믿음을 갖는 만큼 우리의 비전은 더욱 원대해지고 현실로 이루어질 수 있을 것이다. "너희 믿음대로 되라"^마 ^{9:29}는 말씀처럼 우리가 바라고 간구하는 만큼 하나님께서 채워 주시리란 사실을 확신하기 바란다. "내가 너로 큰 민족을 이루고 네게 복을 주어 네 이름을 창대케 하리니 너는 복의 근원이 될지라"^{창 12:2}고 말씀하신 하나님은 우리를 민족을 구원할 축복의 통로로 사용하기 원하신다.

우리가 하나님 안에서 큰 비전을 품었다면 그것을 성취해야 할 사명도 가지고 있다. 그러므로 전능하신 하나님을 의지하며 비전을 이루는 일꾼이 되기 위해 오늘도 최선을 다해야 한다. 하나님이 주신 지혜로 우리의 비전을 실천할 때 하나님은 우리를 더욱 큰 사람으로 세우실 것이다.

오늘도 나는 기도로 많은 사람에게 주님의 복음을 전파하기 위해 열심히 달리고 있고, 앞으로도 계속 전진할 것이다. 나로 인해 보다 많은 영혼이 구원받고 주님의 왕국이 더욱 커지길 희망한다. 사람에게 인정받는 사람이 되기보다는 오로지 하나님께 인정받는 참된 그리스도인이 되기를 간절히 소망한다. 하나님의 일꾼으로서 더욱 큰 명분이 서도록 나는 쉬지 않고 기도할 것이다. 주님의 일꾼으로서 하나님으로부터 칭찬받는 삶을 영위하는 것, 이 얼마나 가슴 벅찬 일인가!

오늘도 나는 가슴 속 깊이 외친다.

"나는 하나님의 가능성이고 싶다!"

Part 4

초 · 중 · 고등학생을 위한

〈10계명 학습법〉

공부를 잘하게 하는 생활 습관 〈10계명 학습법〉

1계명
동기부여가
공부의
첫걸음이다

중·고등학생이라면 누구나 우등생을 꿈꾸며 자신이 원하는 고등학교나 대학교에 진학하길 바란다. 그러나 그 소원을 이루기 위해 행동으로 옮기는 학생은 그리 많지 않다. 자신이 현재 해야 할 일을 알고 있지만, 책상 앞에 앉아 책을 펼치고 열심히 공부하기보다 컴퓨터 앞에 앉아 게임하는 것을 더 좋아한다. 그러다가 시험 날짜가 다가오면 그때야 발등에 불똥이 떨어진 것처럼 허겁지겁 교과서와 문제집을 펴놓고 공부를 시작한다. 그렇다 보니 시험 날짜가 코앞으로 다가왔지만 제대로 준비되어 있지 않아 조급한 마음에 긴장감만 더해 갈 뿐이다.

이 모습이 바로 중학교 3학년 때까지 내가 해 오던 생활이다. 당시에는 왜 열심히 공부해야 하는지도 몰랐고, 뚜렷한 비전 없이 시간만 허비했으니 성적은 중하위권을 맴돌 수밖에 없었다. 당시 가장 큰 문제는 동기부여가 전혀 되어 있지 않았다는 점이다. 미국에 와서 고등학교에 입학한 후 영어 빵점을 맞은 나는 영어 선생님으로부터 미국 명문대는 꿈도 못 꿀 거란 얘기를 들었다.

현실의 높은 벽에 부딪혀 상처를 입은 나는 미국인들에게 인정받고 싶어 난생 처음 공부에 목숨을 걸었다. 몇 번의 좌절을 맛보았지만, 하나님의 축복으로 미국 명문대학에 들어가겠다는 소망을 품고 내 자신에게 동기부여를 하기 시작했다. 그리고 마침내 그 꿈을 이룬 나는 다음과 같은 방법으로 나를 채찍질했다.

■ 역할 모델을 정하라

공부를 열심히 하기로 마음먹은 후 성경 속 인물인 요셉과 다니엘을 나의 신앙적 역할 모델로 삼았다. 이들은 모두 하나님의 도우심으로 난관을 헤쳐 나간 후 조국을 구원했고, 나 또한 이들처럼 되고 싶다는 생각을 했다. 이 두 사람이 나라의 흥망을 책임지는 자리에 있었던 사실만으로도 엄청난 지식인이란 생각이 들었다. 그래서 나는 이들처럼 되기 위해서는 먼저 지식인이 되어야 한다고 믿었다.

지식에도 여러 가시 종류가 있겠지만 가장 기본적이고 중요한 지식은 공부를 통해 쌓아 나가는 것이기에 더 이상 공부를 게을리 해선 안 되겠다고 결심했고, 이것이 나에게 큰 동기부여가 되었다.

그 다음으로는 평소에 닮고 싶었던 친구들 중 한두 명을 현실적 역할 모델로 정해 그들을 벤치마킹했다. 이들은 모두 모범생이었고 나와 달리 선생님과 친구들의 좋은 본보기가 되었다. 고등학교 때 나에게는 조셉과 칼른이라는 미국인 친구가 있었다. 이들은 전교 상위 3퍼센트 안에 드는 수재였으며 성격도 좋아서 학교 생활에 힘들어 하던 나에게 많은 도움을 주었다.

나는 그 두 사람을 역할 모델로 삼고 그들이 공부하는 모습을 유심히 지켜보았다. 어떤 책을 읽는지, 수업 시간을 어떻게 보내는지, 쉬는 시간에 무엇을 하고, 하교 후에는 어떤 활동을 하고, 밤에 몇 시까지 공부하는지 등 정보를 알아냈다.

우등생은 반드시 나름대로 이유가 있었다. 다른 학생들보다 머리가 뛰어나서 거저 얻는 것이 아니라 남들이 놀 때 한 자라도 더 보고, 남들이 대충대충 듣는 수업을 누구보다 빛나는 눈망울로 꼼꼼하게 들으며 필기도 부지런히 했다. 쉬는 시간이나 점심 시간 같은 자투리 시간도 결코 헛되이 보내지 않았다. 이들은 내게 공부를 잘할 수 있는 비법을 몸소 보여 주었다.

만약 현재 동기부여가 부족하다고 생각된다면 가장 먼저 성경

속의 인물을 정해 그의 삶을 벤치마킹하고, 그가 어떻게 하나님의 축복을 누리게 되었는지 알아보라. 그 다음에는 현실 속에서 나에게 도전의식을 불러일으키는 친구나 지인을 찾아내어 그들을 유심히 관찰하기 바란다. 그들로부터 배울 점이 발견되면 주저하지 말고 시도해 자신의 것으로 만들어라. 그들로 인해 변화된 작은 습관과 행동이 모여 큰 결과를 낳게 될 것이다.

▪단기 목표는 단계별로 세워라

공부를 못하는 학생들을 살펴보면, 대부분 목표는 있지만 그 목

스탠포드 동기들과 함께
이틀은 내학 시설무터 10년, 20년 후 세계 경제를 이끌어 나갈 계획을 세우고 공부에 열중했다.

표가 너무 비현실적이거나 현실로 만드는 방법을 모르는 경우가 많다. 반에서 꼴찌를 하던 아이가 다음 시험에서 전교 1등이 될 수는 없다. 그러나 많은 학생이 꼴찌에서 단숨에 1등이 되는 꿈을 갖고 산다. 문제는 그 꿈을 이루기 힘들다는 사실을 알면서도 이를 묵인한 채 그 목표를 향해 달려 나간다는 사실이다. 그러다가 꿈을 성취하지 못했을 때 그들은 좌절감에 빠져 자신감을 잃게 된다.

단기 목표일수록 단계별로 계획을 세워야 한다. 물론 목표를 높게 잡는 것도 중요하지만, 습관과 공부의 양이 우리가 기대하는 만큼 하루아침에 변할 수는 없다. 그러므로 단기 목표는 보다 현실성 있게 잡는 것이 무엇보다 중요하다. 단시간 내에 목표를 하나씩 이루어 나감으로써 생기는 성취감과 자신감은 우리에게 큰 동기부여를 안겨 주고, 장기적으로 더 큰 목표를 이루는 데 중요한 디딤돌이 될 것이다.

고등학교에서 영어 시험을 빵점 맞았던 시절, 나는 자신감 회복에 대한 의욕이 앞서 다음 학기에 무조건 A를 받겠다는 목표를 세웠다. 열심히 하기만 한다면 불가능하지 않을 거란 생각이 들었고, 하나님의 기적이 일어날 것만 같았다. 그러나 나는 다음 시험에서도 낙제 점수를 받았고, 금방 공부에 대한 의욕을 잃어버렸다. 처음부터 단시간에 이룰 목표를 너무 무리하게 잡은 것이 그 원인이었다.

하나님의 지혜를 받은 후 나는 단기 목표를 단계별로 세워 나가는 법을 터득했다. 처음부터 너무 큰 욕심을 부리지 말자고 다짐하고 나서 초심으로 돌아가 영어의 기초 실력부터 다지기 시작했다. 교과서를 읽다가 모르는 단어가 나오면 절대로 그냥 지나치지 않았다. 모르는 단어를 연습장에 적어 놓고 그날이 지나기 전에 단어를 모두 내 것으로 만들기 위해 애썼다. 그때 세운 목표는 낙제에서 벗어나 최소 C학점을 받자는 것이었지만, 노력은 A학점을 받는 것 이상으로 쏟아 부었다.

이런 단계별 목표 설정은 금세 빛을 보았고, 멀지 않아 영어 시험에서 A학점을 받는 쾌거를 이룰 수 있었다. 이때 내가 받은 성취감과 보람은 이루 말할 수 없었음은 물론, 다음 번에 더욱 노력해서 더 큰 목표를 이루겠다는 기대감을 가질 수 있었다.

자신의 성적을 향상시키고 싶다면 처음부터 너무 큰 욕심을 갖지 않기 바란다. 예를 들어 자신의 학급 석차가 40명 중 25등이라면 다음 시험에서 5등 안에 들겠다는 목표보다는 15등 안에 들겠다는 보다 현실적인 목표를 세워야 한다.

만약 열심히 노력하여 이 목표가 이루어졌다면 그 다음 목표는 소신껏 정하도록 한다. 공부는 누구에게나 어렵고 힘든 일이지만, 목표를 하나씩 성취해 나가는 자신의 모습을 발견한다면 공부에 자신감이 생길 것이다.

■장기 목표는 '바라봄의 법칙'으로 이루어라

수많은 성경 속의 인물은 자신의 꿈을 이루기 위해 '바라봄의 법칙'을 사용했다. 바라봄의 법칙이란 '바라보는 대로 될 것이다'라는 믿음을 뜻한다. 하나님께서는 아브람에게 "너는 눈을 들어 너 있는 곳에서 동서남북을 바라보라"창 13:14고 말씀하셨다. 아브람이 바라보고 정복해야 할 땅이라고 일러주신 것이다. 만약 간절히 원하는 장기 목표가 있다면 우리는 그것을 바라보고 믿음으로 성취해야 한다.

고등학교 시절 나는 하버드, 스탠포드, 예일, 프린스턴, MIT라는 미국 최상위권 5개 대학을 목표로 공부했다. 다섯 곳 중 한 곳만 합격해도 여한이 없을 것 같았다. 나는 이런 명문대학이 너무 가고 싶었던 나머지 각 학교의 이름을 적어 책상 위에 붙여 놓았다. 그리고 공부하기 전에 반드시 내학 이름이 적힌 종이를 바라보며 기도했다. 때로는 희망하는 대학의 캠퍼스를 방문해 학생들이 교실에서 수업 듣는 모습과 도서관에서 공부하는 모습, 캠퍼스를 오가는 모습 등을 바라보며 "나도 저렇게 되어야지"라는 희망을 품었다.

미국 최상위권의 대학교는 전 세계의 고등학생들로부터 지원서를 받기 때문에 경쟁률은 상상을 뛰어넘을 정도로 높다. 또한 미국에서도 수재로 손꼽히는 아이들이 오는 곳이다. 내가 다니던 고등학교에서도 상위 3퍼센트 안에 들던 아이도 들어갈까 말까 하던 곳이 바로 이들 대학이었다. 이 사실을 너무 잘 알고 있던 나는 무슨 일이 있어도 상위권 안에 들기 위해 부단히 노력했다. 앞만 보고 달리던 나는 얼마 후 성적이 조금씩 올라가는 역사를 체험했고, 끝내 미국 최고 명문대학 중 하나인 스탠포드 대학교에 입학할 수 있었다.

단기 목표는 최대한 현실적으로 세워 단계별로 이루어 나가고, 장기 목표는 믿음의 눈으로 바라보라. '바라봄의 법칙'을 잘 활용할 줄 아는 사람만이 하나님의 역사를 체험할 수 있으며, 자신의 궁극적 목표를 이룰 수 있다. 자신이 이루고 싶은 꿈을 종이에 적어 책상 위에 붙여 놓아라. 그리고 그것을 바라보며 하나님께 기도로 간구하면 아브람에게 허락하셨던 축복을 우리도 누릴 수 있을 것이다.

✔ Check Point

- 성경에서 닮고 싶은 인물 한 명, 현실에서 닮고 싶은 인물 한명을 정해 그들을 벤치마킹하라.
- 목표는 높게 잡는 것이 좋다. 이때 단기와 장기, 두 가지로 나누어 목표를 정하라.
- 처음부터 과도한 욕심은 금물이다. 단기 목표는 짧은 시간 내에 실현 가능성 있는 것으로 세워 자신감을 가질 수 있도록 하라.
- 간절히 원하는 장기 목표를 설정해 바라는 대로 될 것이란 믿음을 갖고 노력하라.
- 책상에 앉았을 때 잘 보이는 곳에 꿈을 적어 놓고 수시로 보면서 하나님께 기도로 간구하라.

2계명
**자신만의 공부
계획을 세워라**

공부를 시작할 때 가장 먼저 하는 것이 바로 계획 세우기다. 이때 먼저 고려해야 할 점이 바로 자신의 현재 상황을 정확하게 파악하는 것이다. 자신의 능력을 너무 과대평가해서 터무니없이 높은 목표와 계획을 설정하거나, 자신을 너무 과소평가하여 능력을 제대로 발휘할 수 없는 낮고 쉬운 목표를 설정한다면 두 가지의 예 모두가 좋은 성과를 기대하기 어렵다.

■ **자신의 능력을 정확히 파악하라**

지금 자신이 어디에 서 있는가 하는 것은 누구보다 자기 자신이 제일 잘 안다. 계획을 세울 때 무엇보다 자신에게 솔직해야 한다. 영어 학원을 선택할 때 사람들은 두 가지 모습을 보인다. 하나는 자신이 어느 정도의 실력을 갖췄음에도 불구하고 자꾸 낮은 반을 선택하려는 사람이다. 이는 용기가 없기 때문이지 실력이 부족해서가 아니다. 높은 단계를 선택했을 때 어려움에 부딪히는 것이 두려워 자꾸 낮은 단계에만 머문다면 더는 발전을 기대하기 어렵다.

다른 하나는 자신의 실력에 비해 터무니없이 높은 반을 선택하려는 사람이다. 이는 주위의 시선을 의식하고 과시하기 위해서인데, 자신을 위한 올바른 선택이 아니다. 기초부터 차근차근 단계별로 실력을 쌓아야 진정한 실력자가 된다는 것을 잊지 말라.

세계의 지식인들이 모여든다고 해서 '지성의 전당'이라 불리는 스탠포드의 후버 연구소를 배경으로…

특별한 준비 없이 떠난 미국 생활에서 영어에 큰 고배를 마신 후 나는 기초부터 차근차근 다져 나갔다. 주위의 미국인들은 말할 것도 없고 한국 친구들도 대부분 미국에서 태어났기 때문에 영어에 능통할 수밖에 없었다. 이런 친구들 속에서 기초부터 다시 시작하려니 부끄럽고 자존심이 상했지만, 이런 이유로 내 실력을 무시한 채 계획을 세울 수는 없었다. 나는 꿋꿋하게 단계를 밟아 나갔고, 자신에게 맞는 계획을 세움으로써 공부에 탄력을 받아 예상보다 빨리 영어의 벽을 무너뜨릴 수 있었다.

■자신만의 맞춤 학습법을 만들라

시중에 나온 많은 책이 다양한 학습법을 소개하고 있다. 누구는 이런 방법을 사용해 성적이 올랐다고 하더라는 식의 말을 하루에도 여러 번 듣는다. 학습법의 홍수 속에서 자신에게 적합한 상황이나 실력에 맞는 학습법을 찾기란 그리 쉬운 일이 아니다. 가장 좋은 방법은 자신의 능력을 정확히 파악하고, 자신만의 맞춤 학습법을 만드는 것이다.

이를 위해서는 다른 사람들이 어떻게 공부하는지 관심을 가지고 지켜보고, 성공 수기를 틈틈이 읽어 보면서 좋은 아이디어가 있으면 자신에게 적용해 보는 것이 현명한 방법이다. 한번에 자신에게 딱 맞는 방법을 찾기란 쉽지 않다. 여러 가지 방법을 시도하면서 시행착오도 겪겠지만, 자신만의 방법을 만들기 위해 지속적으로 노력해야 한다.

중학교 시절에 자신만의 학습법을 완성하기를 권한다. 고등학교 시절은 공부 분량도 늘어나고 여러 방법을 시도하면서 시행착오를 겪기엔 시간이 너무 아깝다. 자신만의 방법을 찾았다면 학년이 올라가 과목이 늘어나면 그때에 맞춰 지속적으로 그것을 보완하도록 하라. 학습법의 완성은 빠르면 빠를수록 좋다. 그러므로 하루빨리 이를 습관화하여 도약의 발판을 마련하도록 하라.

■ 목표와 계획을 본인 능력의 120퍼센트로 세우라

공부에 자신감이 없고 별로 흥미를 느끼지 못하는 학생이라면 처음 계획을 세울 때 본인 능력의 80퍼센트 정도로 계획을 세운다. 이 시기에는 공부의 성취감을 높여 자신감을 회복하고 공부에 재미를 붙이는 것이 무엇보다 중요하기 때문이다.

어느 정도 자신감이 생겼다면 그 다음에는 본인 능력의 100퍼센트만큼, 그 다음에는 능력의 최대 120퍼센트까지 계획을 세우도록 한다. 약간 버겁다고 느낄 정도의 계획을 세우게 되면 자신을 채찍질하게 되어 목표 달성을 위한 긴장의 끈을 놓지 않는다.

■시간은 옵션, 목표 중심의 계획을 세우라

시간 계획을 짤 때 가장 많이 사용하는 방법이 시간 중심법이다. '8시부터 9시까지 수학, 9시 30분부터 10시 30분까지 영어 공부'라는 식으로 보통은 시간을 기준으로 계획을 세운다. 그러나 중요한 것은 몇 시간 공부했느냐 하는 것이 아니라 얼마만큼 공부했느냐 하는 것이다. 앞서 세웠던 목표량을 채우지 못했음에도 자신이 세운 시간 계획표에 따라 이를 포기하고 다음 과목으로 넘어가는 실수를 범하지 말라.

영어 독해를 몇 장부터 몇 장까지 풀기, 수학 문제 한 단원 풀기 등 보다 구체적인 목표 중심의 계획을 세우도록 한다. 물론 시간에 제한을 두지 않고 목표만 가지고 공부한다면 시간에 대한 긴장감이 없어 늘어지는 경우가 생기기 때문에 평소 자신이 한 문제 풀 때

걸리는 시간을 체크해 보고 보다 실효성 있는 시간 계획을 세워야

한다.

성적이 좋지 않거나 일을 제때 끝내지 못했을 때, 우리는 가장 먼저 "시간이 없어서 못했어요"라며 시간이 부족했다고 변명한다. 그러나 자신의 잘못을 시간 탓으로 돌려선 안 된다. 진실로 능력 있는 사람은 주어진 시간 안에 자신의 능력을 마음껏 발휘한다.

중학교 시절 나는 공부하기에 충분한 시간이 있었음에도 불구하고 춤을 추거나 친구들과 어울려 노느라 시험 기간 직전이 되어서야 벼락치기로 겨우겨우 시험을 치렀다. 그리고 나서 성적이 나오면 속상해하시는 어머니께 공부할 시간이 부족했다면서 변명을 늘어놓기에 여념이 없었다.

미국에서 첫 영어 시험에 빵점을 맞고 나서야 뼈저리게 과거의 이런 생활을 후회했다. 그리고 땅에 떨어진 자존심을 만회하기 위해 난생 처음으로 벼락치기가 아닌 계획적인 공부를 하기로 마음먹었다. 그러나 공부 습관이 전혀 몸에 배어 있지 않았기에 이것은 결코 쉬운 일이 아니었다.

가장 힘들었던 것은 바로 시간과의 싸움이었다. 학교에서는 수업이니까 어쩔 수 없이 45분 동안 꼼짝없이 앉아 있었지만, 집에 돌아와 혼자 공부할 때는 학교에서와 같은 모습을 기대할 수 없었다. 채 10분도 되지 않아 엉덩이가 들썩거리고, 앉아 있다고 하더라도 집중이 되지 않아 많은 시간을 헛되이 보냈다.

시간을 정복하는 것은 우리가 공부를 잘하기 위한 첫 단계다. 시간과의 싸움에서 진다면 그 후 있을 집중력과의 싸움에서도 결코 승리할 수 없다.

■ 공부에서 편식은 금물! 부족한 부분에 더욱 투자하라

일에도 경중이 있고 공부에서도 자신에게 보다 중요하고 시급한 과목이 있다. 그러나 대부분의 학생은 성적이 나쁘게 나오거나 영어와 수학처럼 매일 꾸준히 해야 하는 과목이 있음에도 불구하고 자신이 좋아하고 성적이 잘 나오는 과목에 더 많은 시간을 투자하는 등 공부 편식을 하기도 한다.

학생들이 좋아하는 과목은 대부분 성적이 좋은 과목이다. 성적이 좋기 때문에 좋아하는 과목이 되기도 하지만, 좋아해서 더 많은 시간을 투자해 성적이 잘 나오는 과목이 되는 경우도 있다.

나는 극단적인 공부 편식증에 걸렸던 적이 있다. 아니 공부 거식증이라고 해야 더 정확한 표현일 것이다. 첫 영어 시험에서 좌절을 맛본 후 자존심 회복을 위해 처음으로 며칠 밤을 새워 가면서 중간고사를 준비했는데 결과는 참담했고 기말고사도 별반 다르지 않자 공부에 대한 두려움에 휩싸였다. 그러나 음악은 달랐다. 베이스기타는 새롭게 접한 것임에도 불구하고 실력이 부쩍 늘었고 사람들도 내 재능을 인정해 주었다. 음악은 공부에 지친 나에게 돌파구가

되어 주었고, 결국 공부를 포기하고 음악에 전념하겠다는 극단적인 선택을 하기에 이르렀다.

이처럼 극단적인 경우가 아니더라도 대부분의 학생은 성적이 안 나오면 그 과목에 흥미를 잃어버리고 결국에는 포기하고 만다. 모르는 것과 부족한 과목을 채워 나가려는 노력보다 성적이 잘 나오는 과목에 더 많은 시간을 투자함으로써 공부 편식은 더욱 심해지는 것이다. 그러나 이런 방법으로는 더 이상 성적 향상을 기대하기 힘들다.

다시 공부하기로 마음먹고 나서 하나님께 담대함을 허락해 달라고 기도를 드렸다. 영어에 대한 두려움을 이겨 내기 위해 무엇보다 담대함이 절실하게 필요했다. 비록 나에게 많은 좌절을 안겨 주었던 과목이지만, 이 벽을 넘지 않고서는 아무것도 할 수 없다는 것을 깨달았다. 이때부터 내 영어 정복기가 시작되었다.

그토록 많은 시간과 열정을 투자한 음악을 내려놓고 하나님께서 주신 공부의 사명을 다하기 위해 영어의 기초부터 다시 다져 나갔다. 영어를 공부하는 데 대부분의 시간을 할애하고 인내심을 가지며 꾸준히 하다 보니 영어의 벽이 점차 무너졌고, 성적 향상에도 가속도가 붙기 시작했다.

성적 향상을 위해서는 자신이 부족한 부분에 더 많은 시간을 투자해야 한다. 하기 싫다고, 성적이 나쁘다고 손을 놓거나 미루고 있다면 더는 성적 향상을 기대하기 어렵다. 힘든 공부를 할수록 시작 전에 하나님께 공부에 대한 두려움을 떨쳐 버리고 담대히 헤쳐 나갈 수 있는 용기와 지혜를 달라고 기도하라.

■TV 시청과 인터넷 사용 시간을 줄여라

공부할 때 부모님으로부터 "제발 시간 좀 헛되이 보내지 마라" 는 얘기를 들어 보지 않은 학생은 거의 없을 것이다. 혹시 식사를 하거나 간식을 먹고 나서 소화를 시켜야 한다면서 빈둥거리고, 자 신이 좋아하는 프로그램만 보고 공부하러 들어간다며 TV 앞에서 시간을 보내고, 급히 찾아야 할 정보가 있다면서 온갖 인터넷 포털 사이트를 기웃거리지 않는가?

공부할 때는 그렇게도 더디 가던 시간이 휴식을 취하거나 TV를 보고 인터넷을 할 때는 너무 빨리 간다는 생각을 한 적이 있을 것이 다. 나도 공부 좀 하라고 다그치시는 어머니께 딱 10분만 TV를 보 고 공부하러 간다고 말해 놓고서 그 10분이 20분이 되고, 1시간이 되어 버린 경험을 수없이 했다.

여름방학의 막바지에 기도원에서 하나님께서 내게 주신 공부의 사명을 깨닫고 미국으로 돌아와 가장 먼저 한 일은 내 방을 정리하 는 것이었다. 누나가 다른 주로 대학 진학을 하는 바람에 나 혼자 자취를 해야 하는 상황이 되어 내 생활은 더욱 나태해질 수밖에 없는 위험에 처해 있었다. 그러나 나에게는 하나님께서 주신 사명이 있었기에 굳은 마음으로 방에 있던 컴퓨터와 TV를 없애버렸다. 이로 인해 더는 공부 도중에 시선을 빼앗길 곳이 없어 집에서 공부에 전념할 수 있는 시간이 더욱 늘어나게 되었다.

■ 자투리 시간을 적극적으로 활용하라

우리가 가볍게 생각하는 10분 내지 20분 정도의 자투리 시간도 잘만 활용하면 1시간 공부하는 만큼의 효과를 거둘 수 있다. 1시간의 수업을 듣더라도 우리가 집중하는 시간은 20~30분 정도의 짧은 시간에 불과하다. 그러므로 수업 시간 중간 중간 쉬는 시간을 유용하게 보낸다면 그냥 헛되이 보낼 뻔했던 시간 속에서 의외의 결과를 거둘 수 있다.

내 경우 45분 동안의 수업이 끝나고 10분 쉬는 시간을 영어 단어를 암기하기 위한 시간으로 활용했다. 나는 하루에 30개 이상의 단어를 암기했고, 그 다음 날은 어제의 30개를 합해서 60개를 외우는 식으로 누적암기법을 이용했다.

영어 단어를 외우는 시간이 30분이 넘어가면 지겨워서 외우는 속도와 능률이 현저히 떨어진다는 사실을 알게 되었다. 그래서 새로운 단어는 방과 후 집에 돌아와서 외웠고, 수업 중간 쉬는 시간에는 지난번 외운 것을 다시 외우고 확인하는 시간으로 활용했다. 단어는 반복할수록 외우는 속도가 빨라져서 10분이면 반복 학습을 하기에 충분했다. 이렇게 쉬는 시간을 적절히 활용함으로써 또 다른 공부에 투자할 수 있는 시간을 벌 수 있었다.

✔ **Check Point**

- 시간이 부족하다는 핑계를 대기 전 헛되게 버린 시간이 없는지 돌아보라.
- 중요하고 성적이 나쁜 과목일수록 많은 시간을 투자하라.
- 시간을 잘 다스려야 집중력을 높일 수 있다.
- 공부가 힘들고 두렵게 느껴진다면 시간을 낭비하기 전에 하나님께 담대함을 달라고 기도하라.
- TV 시청은 되도록 하지 말라. 공부하는 동안 수만 가지의 잡생각을 만들어 낸다.
- 인터넷의 바다에 빠져 허우적거리지 말라. 한 번 클릭으로 한 시간을 헛되이 보내게 된다.
- 자투리 시간을 효율적으로 사용하라. 이 시간을 복습이나 단어 암기의 시간으로 활용하는 것도 좋은 방법이다.

강연을 다니다 보면 학생들에게 가장 많이 받는 질문 중 하나가 바로 '어떻게 집중력을 향상시킬 수 있는가' 하는 것이다. 공부를 본격적으로 시작한 초기에는 집중력의 부재로 많이 힘들었다. 당시 이를 극복할 수 있었던 것은 공부를 시작하기 전에 잠언이나 시편 말씀을 봉독하고 하나님께 온전히 공부에 집중할 수 있도록 도와 달라고 기도드린 덕분이었다.

놀랍게도 기도하고 공부를 시작하면 주위가 어두워지고 오직 책에만 집중할 수 있는 분위기가 조성되었다. 덕분에 온 정신을 책에 고스란히 쏟아 부을 수 있었다. 또한 기도를 드린 후에는 머리가 맑아져 공부한 내용이 머릿속에서 쉽사리 잊혀지지 않았다. 나는 언제나 공부를 시작하기 전 지혜를 간구하는 기도와 성경 봉독을 게을리하지 않았다.

■ 집중력을 염두에 두고 시간 계획을 세우라

집중하는 시간이 길지 않아서 집에서 학습 계획을 세울 때는 시간에 욕심을 내지 않았다. 두 시간 안에 이 책을 끝내겠다든지 세 시간 열심히 공부하고 쉬겠다는 결심이 결코 지켜지지 않을 거라는 사실을 누구보다 잘 알고 있었기 때문이다. 그래서 처음 시간표를 짤 때 50분을 기준으로 40분을 공부하고 10분 쉬는 식으로 시간을 안배했다.

처음에는 40분도 버거웠다. 학교 수업 시간처럼 선생님이 지키고 서 계신 것도 아니고 스스로 지켜야 하는 것이기에 더욱 힘들었다. 30분 정도가 지나면 몸이 비비 꼬이고 엉덩이가 들썩였는데, 이것마저 이겨 내지 못하면 앞으로 아무것도 할 수 없을 거라는 생각으로 이를 악물고 버텼다. 그러나 계획을 실천할 수 없을 정도로 욕심을 내서 시간표를 짠 것이 아니기 때문에 시간이 지나자 점차 적응이 되었다. 그 후 50분 사이클에 적응이 되자 60분으로 시간을 점차 늘려 나갔다.

시간 계획을 세울 때 중요한 점은 유동성을 고려해야 한다는 것이다. 어느 때는 집중이 잘 되어 그 자리에 앉아 1시간 넘게 책을 볼 수 있는 날이 있다. 그런데 어떤 학생은 꼭 시간표대로 해야 한다면서 자신의 공부 리듬을 무시하는 경우가 있다. 그러나 그건 좋은 생각이 아니다.

공부를 잘하고 싶다면 융통성을 가져야 한다. 평소에는 시간표를 지키도록 최선을 다하고, 자신의 공부 리듬이 상승 곡선을 그릴 때는 시간 계획을 적절하게 변화시킬 수 있는 지혜가 필요하다.

■ 독서실처럼 스탠드 조명을 적극 활용하고 책상을 말끔히 정리하라

주위가 산만해서 책상 위에 내 주의를 끌 만한 물건이 있으면 공

부를 하다가도 그쪽으로 계속 시선이 쏠렸다. 그렇다 보니 짧기만 한 집중 시간이 더 짧아지고 주의가 흐트러졌다. 그래서 떠오른 곳이 바로 독서실이었다.

중학교 시절 반 성적이 34등에서 17등으로 올랐을 때 난생 처음 독서실을 다니며 공부했다. 처음에는 주위가 깜깜하고 조용한 분위기에 적응하지 못해 책상에 오래 앉아 있지를 못했다. 독서실에 가방을 던져 놓고 친구들이랑 어울리기에 바빴고 공부한다고 자리에 앉으면 금세 머리가 무거워져 엎드려 자는 시간이 대부분이었다. 그런 와중에도 도움이 된 것은 마음을 잡고 공부에 집중했을 때는 주위가 어둡고 오직 책상 불빛만 환해서 온전히 책에만 시선을 집중할 수 있었던 것이다.

이 생각이 떠오르자 일단 책상부터 정리하기 시작했다. 성경책과 교과서를 제외한 나머지 것은 모두 박스에 넣어 방 한쪽에 옮겨 놓고 가장 큰 적인 컴퓨터와 TV도 없애버렸다. 이렇게 하고 나니 책상이 이렇게 컸나 싶을 정도로 넓어 보였다. 또한 책상 앞에 앉아 고개를 들었을 때 시선이 머무는 곳에 내 비전과 목표를 적어 놓았다. 그리고 집중력이 떨어지거나 피곤할 때마다 그 글을 보면서 마음을 다잡았다.

스탠드 조명도 적극적으로 활용했다. 간접 조명이었던 방의 특성상 스탠드 없이 공부하기에는 어두운 감이 없지 않았다. 그래서 스탠드 조명을 눈이 부시지 않을 정도로 밝게 켜 두었더니 독서실

같은 분위기가 조성되었다. 오히려 나만의 공간으로 책상 하나만 주어졌던 독서실보다 방 전체를 활용함으로써 사용 공간이 넓어져 공부할 때 느꼈던 답답함에서 벗어날 수 있었다.

■ TV, 인터넷, 휴대폰을 멀리하라

학교나 독서실에서 공부할 때와 달리 집에서는 집중이 잘 되지 않는다. 거실에 있는 TV와 방 안에 있는 컴퓨터 때문에 주의가 산만해지고 인터넷 게임이나 TV 프로그램이 머릿속을 휘젓고 다녀 책이 눈에 들어오지 않는다. 머릿속에는 '이 드라마가 앞으로 어떻게 전개될까?' '어떤 게임 아이템을 구매하지?' 등 온갖 쓸데없는 생각이 가득 차게 된다.

만약 이 같은 상황에 처해 있다면 바로 지금 스스로 결단을 내려야 한다. TV는 되도록 집에서 없애도록 하고 컴퓨터는 부모님께서 관리하실 수 있도록 거실에 배치한다. 부모님은 TV를 보지 못하는 불편함을 감수하더라도 이런 결단을 반겨 주실 것이다.

휴대전화도 마찬가지다. 혹시 친구에게 전화가 오지 않을까, 문자가 오지 않을까 하는 기대감에 책상 위에 책과 나란히 두고 공부하다 보면 시선은 책이 아닌 휴대전화로 쏠리게 된다. 이렇게 되면 자연적으로 집중력이 떨어질 수밖에 없고, 집중이 잘 되더라도 어느 순간 사라져 버리고 만다. 공부할 때는 휴대전화를 꺼 놓고 온전히 책에만 집중할 수 있는 환경을 만들어야 한다.

■ 동시에 여러 가지 일을 하지 말라

일반적으로 평범한 사람은 멀티플레이어가 아니다. 한 가지에 집중하기도 이렇게 힘든데 동시에 여러 가지 일을 한다는 것은 거의 불가능하다. 동시에 여러 가지 일을 하더라도 모든 일에 고루 집중한다는 것이 결코 쉬운 일이 아니라는 사실을 어느 누구보다 자신이 더 잘 알고 있을 것이다.

집중력이 떨어지는 사람일수록 욕심을 부리지 말고 한 가지 일이라도 제대로 집중할 수 있는 훈련을 해야 한다. 집중력이 떨어지는데다가 이것저것 동시에 하다 보면 그나마 있는 집중력마저 잃어버릴 가능성이 크다. 가령 음악을 들으면서 공부한다든지 간식을 먹으면서 공부한다면 시간만 허비하는 것일 뿐 그동안 봤던 책의 내용은 거의 머릿속에 남아 있지 않다.

나는 공부 시간만큼은 온전히 공부에만 모든 신경을 집중하자고 나 자신과 약속했다. 따라서 공부하는 동안에는 음악을 듣지도, 간식을 먹지도 않았다. 남들보다 집중력이 떨어졌던 나는 짧은 시간 최대한의 효과를 누려야 했기 때문이다. 음악을 듣거나 간식 먹는 것은 집중력이 떨어져 주의가 산만해지는 시간을 활용했다.

■스트레스가 쌓이면 CCM을 들으면서 머리와 마음을 맑게 하라

장시간 공부하다 보면 자연스럽게 집중력이 떨어지고 공부에 능률이 오르지 않는 느낌이 들 때가 있다. 이때 계속 책상에 앉아 억지로 책을 붙잡고 있으면 어느덧 가슴이 답답해지고 머릿속이 멍해지면서 스트레스가 쌓이게 된다.

이때는 공부를 시작하기 전의 마음으로 돌아가는 길이 급선무다. 스트레스는 집중력 저하의 가장 큰 요인이므로 최대한 빨리 푸는 것이 중요하다. 자신에게 가장 잘 맞는 스트레스 해소법을 찾아

적절하게 활용하는 것이 집중력 향상에 큰 도움이 된다.

나는 음악을 통해 스트레스를 풀었다. 그중에서도 CCM은 큰 힘이 되어 주었다. 스트레스를 풀기 위해 사랑과 이별, 세상에 대한 반항으로 가득한 세상 가요를 듣고 있노라면 가사가 머릿속에 맴돌고 영이 혼미해져 오히려 능률이 떨어졌다. 그러나 CCM을 들을 때는 달랐다. 음악을 틀어 놓고 큰 소리로 따라 부르는 동안 답답한 마음이 없어지고 머리가 맑아졌다. 공부할 때는 말을 거의 하지 않기 때문에 가슴에 뭔가 응어리져 있다는 느낌이 드는데, 큰 소리로 CCM을 따라 부르면서 응어리를 풀어 준 덕분에 다시 공부를 시작할 때는 초심으로 돌아가 새롭게 시작하는 기분이 들어 집중을 잘할 수 있었다.

✔ **Check Point**
- 집에서도 학교와 같은 시간 방식으로 계획을 세워라. 예를 들면 50분 공부하고 10분 휴식하라.
- 자신의 집중력에 맞춰 융통성을 갖고 시간을 조정하라.
- 스탠드의 조명을 방의 조명보다 밝게 해서 독서실과 비슷한 분위기를 연출하라.
- 쉬는 시간에는 TV 시청과 인터넷 사용을 하지 말라. 다음 공부 시간의 집중력에 악영향을 미친다.

- 책상을 말끔히 정리하고 시선이 가는 곳에 휴대전화 등 관심이 가는 물건을 두지 말라.
- 동시에 여러 가지 일을 하지 말라.
- 집중력이 떨어져 산만해지면 CCM을 듣거나 성경을 보며 주의를 환기시켜라.

"나는 외우는 거 정말 자신 없어. 암기력이 부족해."

고등학교 시절 한 친구는 영어 단어 시험을 친다고 예고할 때마다 이 말을 되풀이하며 지레 겁을 먹곤 했다. 그러면서 어떻게 외울 것인지 고민하기보다는 어떻게 그 시험을 피할 것인지 먼저 생각했다.

여기에서 우리가 알아야 할 것은 세상에 암기를 못하는 사람은 없다는 사실이다. 암기에 자신이 없다는 사람은 암기를 못하는 것이 아니라 단지 제대로 외워 보려고 노력하지 않은 것이다.

■ 기초가 부족한 과목일수록 암기는 필수다

암기는 모든 과목에 다 통한다. 특히 기초가 부족하다고 생각하는 과목일수록 암기는 더욱 중요하다. 잘하지 못하는 과목에서 일단 이해하고 넘어가려 한다면 오히려 겁이 나고 도망치고 싶다는 생각이 들 것이다. 그때는 외우는 것부터 시작하라. 하나둘씩 외우면서 반복 학습을 하다 보면 어느새 단순하게 외웠던 내용이 내 것이 되는 것을 느끼게 된다.

암기도 할수록 실력이 늘어난다. 앞서 예를 든 친구처럼 암기에 자신 없어 하는 학생들에게 처음부터 너무 욕심을 내지 말라고 말해 주고 싶다. 이제부터 열심히 해보겠다고 마음먹고 의욕이 앞서 영어 단어를 처음부터 50개씩 외운다고 목표를 잡는다면 첫날이야 굳은 의지 때문에 지켜진다고 하더라도 작심삼일로 끝날 것이 불을 보듯 뻔하다.

그러므로 처음부터 너무 무리해서 목표를 설정해선 안 된다. 자신이 외울 수 있는 만큼의 양을 시도해 보고 점차 쉽다고 느껴지면 그때부터 외워야 할 분량에서 2분의 1 정도를 늘려 나간다. 한 번 잘 외워졌다고 해서 금방 2배로 올리면 벅차다는 생각이 들 것이다.

수학의 경우에는 가장 먼저 수학 공식을 외우는 것부터 시작한다. 수학 공식을 암기하고 나서는 공식만 알고 있다면 풀 수 있는 기본적인 문제부터 풀기 시작한다. 기본 문제를 여러 번 풀어 보는 연습을 통해 암기했던 공식을 다시 한 번 확인하는 과정을 거친 후에 점차 난이도 있는 실전 문제로 들어가라.

■ 그날 배운 것은 그날 복습하라

두뇌는 한계가 있어서 바로 앞 수업 시간에 배운 것이라도 복습하지 않으면 금세 잊어버린다. 복습에는 타이밍이 중요하다. 언제 다시 보느냐에 따라 복습하는 데 걸리는 시간과 기억할 수 있는 시간이 정해진다.

복습하기에 가장 좋은 시간은 수업이 끝난 직후 쉬는 시간이다.

이 때를 잘만 활용하면 우리는 그날 배운 내용을 빠른 시간 안에 오랫동안 기억할 수 있다. 수업 시간에 배우고 필기한 내용을 다시 보면서 선생님께서 하신 말씀을 떠올리는 작업을 해보라. 그러면 비디오의 빨리 감기 버튼을 누른 것처럼 수업 시간의 상황이 떠오르면서 재빠르게 머릿속에 입력된다. 이 작업은 빠를수록 좋다. 복습 시간이 늦어질수록 우리는 연상하는 데 더 많은 시간을 필요로 하게 된다.

무슨 일이 있어도 그날 배운 것은 그날 복습하도록 한다. '너무 많으니까 자고 내일 봐야지'라는 생각으로 뒤로 미루면 복습해야 할 것이 쌓여 결국엔 다시 볼 기회를 놓치게 된다. 이처럼 때를 놓치면 나중에 복습할 때 처음 본 내용처럼 낯설게 느껴져 처음부터 다시 시작해야 하는 상황에 처하게 된다.

■ 자기 전에 암기하고 일어난 후 다시 한 번 암기하라

미국의 심리학자 젠킨스 박사의 '수면과 기억력에 관한 실험'에 따르면 비슷한 성적의 학생들을 두 그룹으로 나눠 한 그룹은 강의가 끝난 후 곧바로 자도록 하고, 다른 그룹은 강의 후 자유 시간을 주었다. 실험 결과 강의 후 바로 잤던 그룹의 학생들은 강의 내용에 관한 기억량이 평균 56퍼센트였던 데 반해 다른 그룹은 9퍼센트에 불과했다고 한다.

이 실험 결과를 우리의 실생활에 적용시켜 보도록 하자. 잠들기 전 30분 동안 외워야 할 내용을 암기하고 잠들도록 한다. 잠을 자는 동안 우리의 뇌는 자기 직전에 암기했던 내용을 정리하면서 장기 기억으로 전환시킨다. 그리고 아침에 일어나서 전날 밤에 외웠던 내용을 다시 한 번 훑어보는 과정을 거친다면 그 내용은 쉽게 잊혀지지 않을 것이다.

나는 이 방법을 시험 기간에 활용했다. 시험 공부를 위해 밤을 샌 적도 있지만 밤을 새면서 공부했던 내용은 시험 보는 동안 떠올리려 아무리 애써 봐도 머리에서 맴돌기만 할 뿐 뚜렷하게 기억나지 않았다. 그래서 중요한 시험을 앞두고는 되도록 밤을 새지 않았다. 시험 전날 밤 열심히 외우고 잠자는 동안 뇌가 그 지식을 정리할 수 있는 시간을 주었다. 그리고 시험이 시작하기 전 쉬는 시간에 다시 한 번 내용을 훑고 나서는 잠시 눈을 감고 머릿속으로 정리하는 시간을 가진다. 비록 잠을 자는 것은 아니지만 잠깐 동안 눈을 감는 것만으로도 외운 것을 연상하며 정리할 수 있기 때문에 비슷한 효과를 거둘 수 있다.

■ 오감을 활용하라

효과적으로 암기하기 위해 우리의 모든 감각기관을 고루 사용해야 한다. 사람들은 보통 암기할 때 눈으로 여러 번 훑어보거나 밑

줄과 동그라미를 열심히 그려 가면서 외운다. 주로 우리의 눈과 손이 바쁘게 움직인다.

그러나 외운 것을 머릿속에 오래 담아 두고 싶다면 더 많은 감각 기관을 사용하기 권한다. 눈으로 외워야 할 부분을 보면서 입으로 중얼거리고 손으로 직접 써 보는 것이다. 그리고 마지막 단계에서는 머릿속으로 연상하며 저장하도록 한다. 이는 영어 단어나 수학 공식을 암기할 때 보다 효과적이다. 신기하게도 외운 것을 떠올릴 때 눈으로만 익혔을 때보다 다양한 감각기관을 사용해 외우면 우리의 손과 입도 기억하고 있다가 더 쉽고 빠르게 생각할 수 있도록 도와준다.

• 암기를 못하는 사람은 없다. 단지 안 하는 것뿐이다.

• 기초가 부족한 과목일수록 암기는 필수이고, 반복은 생명이다.

• 암기도 하면 할수록 실력이 좋아진다.

• 영어는 단어 암기, 수학은 공식 암기가 기본이다.

• 수업이 끝난 직후 곧바로 복습하면 기억이 오래간다.

• 암기 후 수면을 취하거나 눈을 감아 머릿속에서 정리할 시간을
  주라.

• 중요한 시험 전날에는 충분한 수면을 취하라.

• 눈으로 보고 입으로 말하고 귀로 듣고 손으로 적고 머릿속으로
  정리하는 습관을 길러라.

6계명
슬럼프에서
재빨리
탈출하라

공부하는 학생에게 슬럼프만큼 무서운 존재는 없다. 슬럼프에 빠지면 가장 먼저 일어나는 현상이 집중력이 저하되고 공부에 대한 의욕이 현격하게 떨어진다. 내가 왜 공부를 해야 하는지 목적을 잃어버린 채 성적은 점차 하향곡선을 그리게 된다. 슬럼프는 우리의 비전을 가로막고자 하는 어둠의 세력이 주는 악영향이다. 슬럼프로 인해 우리가 무너진다면 가장 슬퍼하실 분은 바로 하나님이시다.

■ 슬럼프를 극복하기 위해 노력하라

학창 시절 가끔 슬럼프에 빠질 때가 있었다. 시험에 대한 초조와 불안감과 한국에 대한 그리움이 주는 향수병이 슬럼프의 이유였다. 슬럼프에 빠질 때 부딪히는 가장 큰 문제는 바로 '공부하기 싫다' 는 의욕 상실이었다. 이때는 성경도 읽지 않고 하나님과의 관계도 점점 멀어지는 것 같았다. 온전한 신앙생활을 하지 못할수록 공부도 점점 멀리하게 되었다. 내일까지 제출해야 할 과제가 있어도 멍청하게 그냥 앉아 있다 보니 시험 공부는 당연히 뒷전으로 밀려났다.

특히 공부의 난이도가 높아지고 과제가 많았던 대학 시절에는 한 학기에도 몇 번씩 슬럼프가 찾아오곤 했다. 이런 생활이 몇 번

인가 반복되자 나는 슬럼프에서 벗어나고자 노력하게 되었고, 혼자서 슬럼프를 극복할 수 있는 방법을 익히게 되었다.

■ 슬럼프를 극복하는 5가지 방법

첫째, 기도하라.

앞에서 말했듯이 슬럼프는 우리에게 어둠의 세력이 악영향을 미친 것이다. 그러므로 인간적인 방법으로 해결하기보다는 하나님의 방법을 활용하여 슬럼프에서 탈출해야 한다. 하나님께 자신이 처한 상황을 솔직하게 고백하고 슬럼프를 이겨낼 수 있는 힘을 달라고 구하라. 하나님의 영으로 자신에게 임한 어둠의 세력을 물리쳐 보라. 솔직히 슬럼프에 빠진 때는 기도도 잘 되지 않는다. 그러나 아주 짧게라도, 아니면 마음속으로 하나님께 "저를 빨리 슬럼프라는 이 짙은 어둠에서 구해 주세요, 아멘"이라고 한마디라도 간구하길 바란다. 우리의 작은 기도도 귀하게 들으시는 하나님께서 새 힘을 주실 것이라는 사실을 잊지 말라.

둘째, 주위에 기도를 부탁하라.

나는 중요한 일을 앞두고 가끔씩 영적 전쟁을 치르곤 한다. 영적 전쟁은 슬럼프와 다름없다. 그때마다 나는 곧바로 주위의 기도 동역자들에게 기도를 부탁한다. 기도를 부탁할 때 중요한 것은 나의 문제를 보다 정확하고 구체적으로 그들에게 알리는 것이다. 그러면 그들은 나를 위해 좀 더 구체적으로 중보기도를 해 줄 수 있다. 또한 기도 동역자들은 아낌없는 조언과 충고로 나를 일으켜 세워준다. 눈에 보이지는 않지만 중보기도의 힘은 대단하다. 중보기도의 힘이 커질수록 슬럼프에 빠져 있는 기간이 단축된다. 하나님의 힘으로 영적 전쟁을 치르고 슬럼프를 탈출할 때 영성은 더욱 깊어질 것이며, 하나님과의 관계뿐 아니라 기도 동역자들과의 친분도 더욱 두터워질 것이다.

슬럼프를 혼자서 극복하려고 할 필요는 없다. "백지장도 맞들면 낫다"라는 말이 있듯 다양한 사람과 만나 교제하는 것도 좋은 치료제가 된다. 다양한 교회 모임, 수요예배, 금요 철야예배 등 사람들과의 소중한 만남을 가질 수 있는 기회를 적극 활용하기 바란다.

셋째, 하고 싶은 일을 하라.
책상 앞에서 버티고 버티다가 도저히 공부가 되지 않을 때는 과감히 책을 덮어 버리고 하고 싶은 일을 했다. 단기적으로는 공부를 멀리하는 것이 타격이 될 수도 있겠지만, 슬럼프가 오래 지속될수록 타격이

더욱 커지기 때문에 나는 하고 싶은 일을 하면서 기분 전환을 했다. 여기서 주의해야 할 것은 공부를 멀리한다는 의미는 단지 공부의 양을 평소보다 줄인다는 뜻이지 완전히 손을 놓는다는 말이 아니라는 점이다.

내 취미는 베이스기타 연주와 음악 감상이다. 한때는 모든 열정을 쏟아 부을 정도로 애착을 가지고 열심히 연주 연습을 했다. 깊은 슬럼프에 빠지면 일단 공부를 잠시 미뤄 두고 베이스기타를 손에 잡고 지칠 때까지 연주에 몰두한다. 또한 CCM을 비롯하여 좋아하는 음악을 찾아 계속 틀어 놓고 큰 소리로 따라 부른다.

이렇게 공부에서 잠시 손을 떼고 내가 하고 싶은 일을 하다 보면 기분이 좋아진다. 좋아하고 잘하는 것을 하니까 자신감이 생기는 것 같다. 이렇듯 슬럼프에 빠졌을 때는 공부를 잠시 내려놓고 자신이 가장 하고 싶고 좋아하는 일을 하면서 기분 전환을 하는 것도 좋은 방법이다.

넷째, 운동을 습관화하라.

슬럼프를 방지하기 위해서는 규칙적인 생활을 하는 것이 좋다. 학교 생활을 하다 보면 때때로 시간에 쫓겨 규칙적인 생활을 하는 것이 힘들 때가 있다. 많은 학생이 학원과 독서실을 전전하며 밤늦게까지 공부하고 시험 기간에는 새벽까지 공부해야 하는 경우가 생기기 때문에 규칙적인 생활을 하는 것이 힘들다. 그러나 불규칙한 생활이 길어지면 몸과 정신은 점차 나약해지고 자연스럽게 슬럼프에 빠지게 된다.

나는 나태해져 가는 몸과 정신을 바로잡기 위해 운동을 시작했다. 하루에 30분에서 1시간 정도 꾸준히 달리기와 헬스를 하며 보다 강인한 정신력과 체력을 기르기 위해 애썼다. 운동 시간은 저녁 식사를 하고 나서 적당히 소화를 시킨 후로 정하고, 이 시간만큼은 철저히 지키려고 노력했다. 땀 흘리며 운동하고 나서 샤워하면 몸과 마음이 상쾌해져 기분이 한결 나아진다. 이 기분이 그대로 공부로 이어져 보다 가벼운 마음으로 집중할 수 있었다. 또한 운동을 통해 몸이 튼튼해졌다는 것을 느낄 때는 잃었던 자신감이 회복된다는 생각이 들었다.

남녀 모두에게 규칙적인 운동은 생활에서 필수 요소다. 운동을 통해 남자는 근육질의 멋진 모습으로 변화되고 여성은 다이어트 효과로 아름다운 바디라인을 만들 수 있다. 아울러 자신감까지 생기는 두 마리 토끼를 잡을 수 있다. 생활계획표를 짤 때 하루에 최소 10분 이상 운동 시간으로 정해 놓고 최대한 지키려고 노력해 보라.

다섯째, 여행을 떠나라.

슬럼프가 장기화되면 가까운 곳으로 여행을 떠나는 것도 좋은 방법이다. 슬럼프에 빠지는 이유 중 하나가 반복되는 일상 속에서 삶의 의미와 흥미를 잃게 되기 때문이다. 도시의 바쁜 일상 속에서 벗어나 잠시 자연과 함께 휴식을 취하는 것도 슬럼프를 탈출하는 좋은 방법이다.

여행이라고 해서 거창하게 생각할 필요는 없다. 며칠씩 해외로 여행을 떠나는 것이 아니라 상쾌한 자연의 향기를 느낄 수 있는 곳이면 근교라도 좋다. 마주하기 힘든 현실을 탈피해 잠시 자신만의 시간을 가져 보는 것이다.

친구들과 함께하는 여행도 좋다. 여행을 즐기면서 그동안 쌓였던 스트레스를 친구들과의 수다로 마음껏 풀기 바란다. 또한 새로운 곳에서 새로운 사람과 맺는 관계를 경험해 보는 것도 좋다. 이들을 통해 잠시 잊고 있던 삶의 의미를 다시 깨닫게 될 수 있다.

✔ Check Point
• 슬럼프에 빠질수록 하나님과의 끈을 놓지 말라.
• 자신이 하는 기도, 주위의 기도가 슬럼프 탈출의 지름길이다.
• 스트레스는 슬럼프의 주범이다. 좋아하는 일을 하며 가능한 빨리 스트레스를 풀어라.
• 몸이 건강해야 마음과 정신도 건강해진다. 간단한 운동이라도 꾸준히 하도록 하라.
• 슬럼프가 장기화되면 가까운 곳으로 여행을 떠나 기분 전환을 해보라.

예습과 복습 중에서 어떤 것이 더 중요하냐고 질문한다면 나는 단연코 복습이 중요하다고 답할 것이다. 수업을 듣는 동안 이해했다고 하더라도 복습을 하지 않으면 내가 언제 이런 걸 배웠나 싶을 정도로 새까맣게 잊어버린다.

에빙하우스(Ebbinghaus)의 망각곡선(Forgetting Curve)에 따르면 학습하고 10분 후부터 망각이 시작되며, 하루만 지나도 70퍼센트 이상을 잊어버리고 한 달이 지나면 80퍼센트 이상을 잊어버린다고 한다. 이런 망각으로부터 우리의 지식을 지켜내기 위해 가장 효과적인 방법이 바로 복습이다.

■ 수업이 끝난 후 10분을 놓치지 말라

가장 적절한 복습 타이밍은 수업이 끝나고 주어지는 10분 동안의 휴식 시간이다. 수업이 끝났다고 바로 책을 덮어 버리지 말고 수업 시간에 배운 내용을 다시 한 번 되짚어 보는 습관을 가지도록 노력하라. 이때 투자한 10분은 하루 24시간 동안 기억을 유지시켜 준다. 복습은 빨리 할

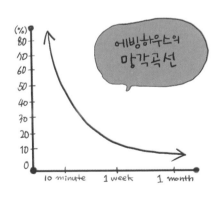

수록 소요되는 시간이 줄어들고 기억은 오래 지속된다.

'있다가 집에 가서 보지 뭐⋯' 라는 생각으로 자꾸 미루게 되면 귀찮아져서 다시 책을 붙잡는 데까지 오랜 시간이 걸리기도 하지만, 때를 놓치게 되면 그냥 건너뛰는 우를 범할 수도 있다. 또한 한번 복습했다고 해서 수업 시간의 지식이 모두 내 것이 되는 것은 아니다. 온전한 내 지식으로 만들기 위해서는 꾸준한 반복 학습이 필요하다.

■반복 학습을 통해 단기 기억을 장기 기억으로 전환시켜라

초등학교와 중학교 시절 벼락치기로 일관했던 나는 시험이 끝남과 동시에 시험 기간에 공부했던 내용을 말끔히 잊어버렸다. 벼락치기였기 때문에 교과서를 한 번 훑어보기에도 항상 시간이 빠듯했고, 복습을 한다는 것은 어림도 없는 일이었다. 따라서 시험 후내게 지식이 남아 있을 리 없었다.

미국에서의 고등학교 시절, 교과서 속의 수많은 영어 단어와 씨름하면서 나는 복습과 반복 학습의 중요성을 뼈저리게 느꼈다. 한번 외웠던 영어 단어도 반복적으로 외워 주지 않으면 얼마 지나지않아 쉽게 잊어버리기 때문에 누적암기법을 통해 꾸준히 반복해서암기했다. 이렇게 해서 외운 단어는 쉽게 잊히지 않아서 시간이 흘러 다른 책에서 같은 단어를 보게 되었을 때 다시 사전을 찾을 필요가 없어 공부하는 시간을 그만큼 단축시킬 수 있었다.

그러나 단기 기억은 완벽한 내 지식이 아니다. 언제든 잊어버릴 수 있는 가능성을 함께 갖고 있기 때문이다. 그러므로 계속적인 반복 학습을 통해 단기 기억을 장기 기억으로 전환시켜 온전한 내 지식으로 만들도록 하라.

✓ Check Point
• 예습보다는 복습을 철저히 하라.
• 복습은 빠를수록 좋다.
• 복습과 반복 학습은 기억을 오랫동안 저장시켜 주는 일등공신이다.

8계명
잠을
다스려라

공부 시간을 늘린다고 해서 공부를 잘하는 것은 아니다. 머리가 효과적으로 지식을 받아들이기 위해서는 충분한 수면과 휴식을 통한 최상의 컨디션이 뒷받침되어야 한다. 충분한 수면이란 무조건 잠을 많이 잔다는 것을 의미하지 않는다는 사실을 분명히 알아두기 바란다.

■ 최소한 6시간의 숙면을 취하라

한때 '4당 5락'이라는 말이 유행하던 때가 있었다. 4시간을 자면 붙고 5시간을 자면 떨어진다는 얘기다. 나는 고등학교나 대학 시절 시험 기간에 어쩔 수 없이 하루 이틀 밤을 새워 공부하는 걸 제외하고 하루에 최소한 6시간 숙면을 취했다. 잠이 부족할 경우 다음 날 두뇌 회전이 원활하지 못해서 집중하는 데 많은 어려움을 겪었기 때문이다.

공부의 효율성을 따질 때 우리는 몇 시간 공부했는가로 판단하는 경우가 있는데, 정해진 시간에 얼마나 집중해서 공부했는지를 효율의 기준으로 삼아야 한다. 충분한 수면은 집중력 향상에 큰 도움이 된다. 최상의 컨디션을 이끌어 내어 맑은 정신으로 공부에 집중할 수 있도록 도와주기 때문이다.

공부를 게을리하던 시절에는 수면 시간이 딱히 정해져 있지 않았다. 집에 돌아와서 간식 먹고 졸리면 자다가 깨서 TV 보고 밤늦게까지 놀다가 다시 잠들어 아침 늦게까지 자다가 허둥지둥 준비해서 학교에 갔다. 이런 불규칙한 수면 시간은 규칙적인 생활 습관을 기르는 데 장애가 되었고, 공부를 습관화하려는 노력에도 많은 악영향을 끼쳤다.

공부를 습관화하기에 앞서 규칙적인 생활 습관을 가지려고 노력했다. 그에 대한 첫걸음이 일찍 자고 일찍 일어나는 것이었는데, 새벽 1시 이전에는 무슨 일이 있어도 잠들려고 노력했다. 일어나야 할 시간은 정해져 있는데 취침 시간이 늦어질수록 다음 날 생활에 많은 영향을 끼치기 때문이다. 부득이하게 수면 시간이 줄어든 경

우에는 다음 날 쪽잠을 이용해 모자라는 수면 시간을 보충했다.

그리고 잠들기 전 항상 성경말씀을 읽고 기도하는데, 이렇게 하면 하루를 돌이켜보며 반성할 수도 있고 하루가 깔끔하게 마무리되는 기분이 들었다. 또한 이 덕분에 어렵지 않게 숙면을 취할 수 있었다.

■ 졸림의 정도에 따라 대처하라

공부를 하다 보면 자신도 모르게 하품이 날 때가 있다. 하품을 한다는 것은 뇌에 산소 전달이 원활하지 않다는 신호다. 이 상태를 그대로 방치하게 되면 몇 분 내로 졸음이 쏟아지고 자신도 모르게 고개를 떨어뜨리게 된다. 이때는 하품이란 경고 신호를 무시하지 말고 잠시 일어나 기지개를 켜고 몸을 좀 움직이는 것이 좋다. 신선한 바깥 공기를 쐬는 것도 좋은 방법이다.

너무 졸려 도저히 공부에 집중할 수 없을 때는 책상에 억지로 앉아 버티면서 시간을 낭비하는 것보다 차라리 쪽잠을 자는 것이 좋다. 그러나 여기서 주의할 점은 쪽잠은 되도록 10분을 넘기지 않도록 해야 한다는 것이다. 30분 이상 잠을 청하게 되면 수면 패턴이 흐드러져 취침 시간에 영향을 주고 일어날 때 두통을 유발할 수도 있어 오히려 멍한 상태가 되어 버리는 경우가 생긴다. 잠을 깨려고 노력했는데도 불구하고 이것이 힘들 때는 과감하게 자고 다음 날

맑은 정신으로 공부에 집중하는 것이 훨씬 효과적이다.

■ 눈을 최대한 쉬어 주라

눈은 수면 시간을 제외하고는 늘 일을 하고 있다. 학교에서는 하루 종일 칠판과 책을 오가고, 집에 돌아와서는 TV와 컴퓨터로 인해 쉴 틈이 없다. 전자파는 눈을 더욱 피로하게 만드는데, TV와 컴퓨터 사용을 최대한 줄이고 어두운 곳이나 누워서 책을 보는 것은 피하도록 한다.

한 번 잃어버린 시력은 회복하기 힘들다. 결과적으로 눈이 피로하면 두통을 유발하게 되고 집중력도 흐트러진다. 그러므로 잠깐잠깐이라도 눈을 쉬어 주어야 한다. 피로감이 몰려올 때는 잠시 눈을 감고 명상에 잠기는 것만으로도 큰 효과를 볼 수 있다.

✔ Check Point
• 집중력을 높이고 싶다면 충분한 수면을 통해 최상의 컨디션을 유지하라.
• 최소 6시간 정도는 수면을 취하라.
• 시험 전날에는 되도록 날을 새지 말라.
• 부족한 수면 시간은 쪽잠으로 보충하라.

- 하품이 나오면 맑은 공기를 쐬며 뇌에 산소를 공급해 주라.
- 졸릴 때는 가벼운 스트레칭을 통해 긴장된 근육을 풀어 주라.
- 잠이 많이 올 때는 잠시 엎드려 자되 10분 이상 자는 것은 금물이다.
- 전자파는 눈을 피로하게 하므로 TV 시청이나 컴퓨터 사용 시간을 줄여라.
- 어두운 곳이나 누워서 책을 보지 말라.
- 틈틈이 눈을 감고 눈의 피로를 풀어 주도록 하라.

■ 아침 식사는 꼭꼭 챙겨 먹어라

등교 전 아침 식사하는 습관을 들이도록 하라. 아침 식사는 성장기에 있는 학생에게 많은 장점을 안겨 준다. 먼저 아침 식사를 하기 위해서는 좀 더 일찍 일어나야 하고, 음식을 씹으면서 아직 자고 있는 두뇌를 깨울 수도 있다.

아침 식사를 거르고 등교해 자습 시간이나 첫 수업을 바로 시작하면 아직 멍한 상태여서 적응하는 데 시간이 걸린다. 나는 자취를 했기 때문에 가끔 아침을 거르는 경우가 있는데 시험 보는 날에는 절대 거르지 않았다. 두뇌 활동을 왕성하게 만들고 집중력을 끌어올려 시험 때 최상의 컨디션으로 임할 수 있도록 노력했다.

■ 식사는 적당하게, 식사 후엔 가벼운 운동을 하라

포만감이 느껴질 정도의 식사는 졸음을 동반한다. 무엇이든 과한 것보다는 적당한 것이 좋다. 적당하다는 의미가 애매모호하게 느껴지겠지만 배가 조금 덜 부른 상태인 식사량의 80퍼센트 정도만 섭취하도록 한다. 배부르게 먹기보다는 고른 영양 섭취에 중점을 두어야 한다.

저녁 식사 이후에는 되도록 간식 먹는 것을 절제하도록 한다. 밤

에 음식을 섭취하면 활동량이 부족해 소화가 잘 안 되기 때문에 속이 불편하고 피곤해진다.

점심과 저녁 식사 후에는 가벼운 운동을 하도록 한다. 무리해서 땀을 많이 흘리는 운동은 오히려 피곤해질 수 있으므로 조깅이나 스트레칭 등 가볍게 몸을 풀어 주는 운동이 좋다. 식사 후의 운동은 소화력을 증진시켜 줄 뿐만 아니라 스트레스도 풀어 주는 일석이조의 효과가 있다.

• 아침 식사는 자고 있는 뇌를 깨운다.

• 시험 기간에는 반드시 아침 식사를 하도록 한다.

• 배부른 식사는 졸음을 동반한다.

• 식사 후에는 가벼운 운동으로 소화를 촉진시켜라.

• 늦은 밤이나 자기 전에는 음식물을 섭취하지 말라.

• 비타민과 건강 보조식품 등으로 부족한 영양을 보충하라.

• 편식은 금물이다. 고른 영양 섭취를 통해 건강을 유지하라.

10계명
실천하라

열 번째 계명은 지금까지 읽어 온 학습법을 실천하는 일이다. 하나님께서는 우리에게 놀라운 기적을 베풀기 원하신다. 지금 바로 무릎을 꿇고 하나님께 간구하라. 하나님의 지혜를 사모하고 실천하는 그리스도인이 되겠노라고 약속하라. 그리고 하나님의 영광을 위해 열심히 공부하라. 하나님은 우리를 통해 영광을 받으실 것이며, 많은 사람에게 귀감이 되는 세상의 빛과 소금으로 우리를 세우실 것이다. 아멘.

영어 실력을 쌓는 5가지 학습법

<table>
<tr>
<td>**1**
영어 성경으로
영어 지혜를
얻으라</td>
<td>미국에서 보았던 첫 영어 시험에서 나는 빵점을 맞았다. 한 문제도 못 풀 정도로 영어의 기초 실력조차 없었다. 초등학교 시절부터 중학교 때까지 매번 벼락치기 공부를 했던 까닭에</td>
</tr>
</table>

좋은 성적이 나올 리가 없었다. 그러나 나의 이런 영어 장애는 하나님의 방법으로 해결될 수 있었다.

영어 장애를 극복하기 시작한 시기는 하나님의 지혜를 받고 난 이후부터다. 나는 말씀 안에 거하는 삶을 살고 영어 실력도 늘리고 싶어 영어 성경을 읽기로 결심하고, 공부에 임하기 전 항상 지혜의 말씀인 시편과 잠언을 봉독했다. 예전부터 요한복음을 영어로 읽으면 영어의 지혜가 임한다는 말을 들은 적이 있어 평소에 요한복음도 읽었다. 시간이 지나고 자연스럽게 시편과 잠언, 요한복음의 말씀을 여러 번 통독하게 된 후로 나에게 영어의 지혜가 임했다.

영어의 지혜를 받은 후 일어난 가장 두드러진 일은 영어에 자신감이 붙었다는 것이다. 공부를 시작하기 전 성경을 소리 내어 통독하면서 자연스럽게 영어 문장을 외우게 되었는데, 이렇게 암기한 문장은 대화를 나눌 때 나도 모르게 입 밖으로 나왔다. 일단 한번 구사한 문장은 내 것이 되었고, 이것이 곧 내 영어 실력이 되어 큰 자신감으로 돌아왔다. 그러다 보니 영이 성경을 읽을수록 무의식중에 더 많은 문장을 외우게 되어 영어 실력을 향상시킬 수 있었다.

나는 학생들에게 회화 책보다 영어 성경을 읽으라고 권해 주고 싶다. NIV보다는 좀 더 쉬운 현대판 NLT 영어 성경을 애용할 것을 권한다. 혹시 아직 영어 성경을 읽을 만한 실력이 되지 않는다면 영어 성경은 잠시 접어 두고 다른 쉬운 영문 서적을 읽어 보라고 권하고 싶다. 일반 영어책을 읽는 것도 영어 성경만큼 독해와 어휘력, 회화에 큰 도움을 준다. 그러나 성경은 그리스도인을 위한 영의 양식이라는 데 큰 차이가 있다. 성경을 꾸준히 묵상하다 보면 하나님의 질서를 배우게 되고 정결한 삶을 살게 되는 장점이 있다.

한번 CBS의 〈새롭게 하소서〉에 출연해 영어 성경으로 영어의 지혜를 받게 된 배경을 설명한 적이 있다. 당시 방송을 본 시청자들

가운데 내 말을 귀담아 듣고 영어 성경 봉독을 실천하는 사람이 속속 생겨났다. 몇 달 후 이들은 나에게 영어 성경을 읽는 것이 영어 실력 향상에 큰 도움을 주었다면서 지속적으로 영어 성경을 읽어야겠다고 전해 왔다.

영어 성경의 효과를 체험한 것은 비단 시청자들뿐만이 아니었다. 대학 시절에 아르바이트로 교회 어린 학생들에게 과외를 해 주었던 나는 공부를 시작하기 전 항상 이들과 영어 성경을 봉독했다. 나는 학생들의 빠른 영어 향상을 지켜보며 놀라움을 금할 수 없었고, 어머니들 역시 자녀의 삶이 변하기 시작했다면서 감사의 뜻을 전해 왔다. 그 아이들의 삶을 변화시킨 것은 성경을 통한 하나님의 능력이었다.

영어는 하나님의 방법으로 해결하는 것이 가장 좋다. 나는 영어

성경을 통해 영어 실력 향상뿐 아니라 정결한 삶을 살게 되어 일석이조의 효과를 톡톡히 보았다. 더욱 반가운 사실은 차후 미국 친구를 전도할 때 영어 성경을 읽은 게 큰 도움이 되었다는 것이다.

영어권 사람들에게 신앙간증을 할 때, 하나님의 복음을 전파할 때 영어 성경을 읽으면서 암기한 수많은 신앙적 어휘와 이야기가 큰 도움이 되었다. 세계를 무대로 주님의 복음을 전파하는 소망을 품고 있다면 이런 하나님의 방법으로 자신의 비전에 한 걸음 가까이 다가가길 기도한다.

✓ Check Point

• 영어의 지혜를 얻고 싶다면 영어 성경을 읽어라.

• 현대판 NLT 영어 성경이 좀 더 읽기 쉽다.

• 영어 성경을 소리 내어 읽어라.

• 시편, 잠언을 여러 번 통독하라.

• 영어 성경은 독해력, 읽기, 회화 능력 향상에 도움을 준다.

2
**영어 학습의
기본은
단어 암기다**

언어란 단어와 단어가 만나 문장을 이루고, 그 문장이 모여 언어를 형성한다. 그래서 언어의 가장 근본이 되는 요소는 단어다. 영어의 특성상 단어가 다른 언어보다 중요하다는 것은 이미 알려진 사실이다. 영어를 잘하지 못하는 사람의 공통점은 단어 실력이 부족하다는 데 있다. 단어 실력을 늘리는 데는 특별한 왕도가 없다. 자신이 투자한 시간과 단어 실력 향상은 정비례한다.

미국 고등학교에 입학한 후 교과서를 펼쳤을 때 아는 단어보다 모르는 단어가 훨씬 많다는 사실에 낙심했다. 그때부터 나는 사전에서 단어를 한 개씩 찾으며 교과서를 읽어 내려가야 했다. 또한 수업을 듣고 있으면 단어가 들리지 않아 의미를 파악하지 못할 때가 허다했다. TV를 시청할 때도 마찬가지였다. 뉴스를 보거나 드라마를 보더라도 쉬운 단어는 귀에 쏙쏙 들어오지만 꼭 중요한 순간에 핵심 단어를 몰라 전체 내용을 이해하지 못할 때가 종종 있었다. 나는 단어 암기의 중요성을 깨달았고, 암기를 습관화하여 영어의 기초를 다지기 시작했다.

단어 암기 습관을 익히는 것은 어릴수록 좋다. 초등학생의 경우 하루에 10개 정도 단어를 누적해서 매일매일 꾸준히 암기하라고 권하고 싶다. 그러나 암기보다 더 중요한 것은 복습이다. 누적해서 단어를 암기하다 보면 자연적으로 복습 효과를 볼 수 있다. 새로운 단어를 암기하는 것보다 앞서 암기한 것을 제대로 알고 있는지 파악하는 것이 중요하다.

어린 시절부터 단어 공부를 습관화하지 않은 중·고등학생의 경우, 하루 최소 20개 이상의 단어를 암기하는 것이 좋다. 나 역시 고등학교 시절 하루에 30~40개의 단어를 외우려고 노력했다. 이때 단어 암기에 쏟은 시간과 열정은 대단한 것이었고, 영어 실력 향상에 가속도가 붙는 시발점이 되었다.

그러나 스탠포드 대학교에 입학한 후 내 영어 실력은 다시 한 번 바닥을 드러내고 말았다. 고등학생 시절 나름대로 열심히 영어 공부를 해 왔다고 자부했는데, 스탠포드에서의 공부는 난이도 면에서 고등학교 때와 확연하게 차이가 났다. 과제 때문에 수많은 전문 서적과 밤새워 씨름하던 나는 어휘력과 독해 실력이 다른 학생들에 비해 부족하다는 사실을 깨달았다.

수업 진도를 따라잡기 위해 내가 생각해 낸 방법은 거창한 것이 아니었다. 영어의 기초를 다지기 위해 영어 단어를 꾸준히 외우고 책을 읽으면서 모르는 단어는 모두 연습장에 따로 적었다. 고등학생 때의 모습으로 돌아가 영어 실력을 한 단계 업그레이드시키려고 노력했다. 영어의 기본기를 다시 다진다는 마음으로 단어 암기를 시작한 것이다. 이런 내 노력은 좋은 결실을 맺게 되었고 무사히 수업을 따라갈 수 있었다.

단어 암기를 습관화하면서 영문 책을 함께 읽는 것이 효과적이다. 책을 읽으면서 새로운 단어를 암기하면 단어의 쓰임새를 쉽게 파악할 수 있고, 기억에도 훨씬 오래 남는다. 영어 실력을 향상시키기 위해서는 단어를 꾸준히 암기해야 한다는 사실을 꼭 명심하기 바란다. 자신도 모르는 사이에 사전 없이 영문 책이나 신문 등을 읽게 될 것이다. 그리고 CNN, AFKN 뉴스가 조금씩 들리기 시작할 것이다.

✔ Check Point
- 영어에 기초가 없는 사람일수록 영어 단어를 열심히 암기하라.
- 어릴 때부터 영어 단어를 암기하는 습관을 길러라.
- 누적암기법을 통해 반복 또 반복해서 외워라.
- 하루에 최소 20개 이상의 단어를 외우도록 하라.
- 단어를 많이 알수록 독해력이 좋아진다.

3
영문 책을
읽어라

영어의 기초를 쌓는 데 가장 중요한 것은 단어 암기이지만, 영어의 진정한 실력을 쌓는 데 중요한 것은 읽기(reading)다. 미국에 도착하고 나서 영어를 잘하고 싶다는 생각에 회화 책을 달달 외우거나 각종 영어학습법 책을 구입해 공부했다. 이런 책들은 단기적으로 영어 향상에 도움을 주긴 하지만, 장기적으로는 큰 효과가 없다는 사실을 알게 되었다. 회화 책과 영어학습법 책은 미국에서 공부를 따라가는 데 큰 도움을 주지 못했다.

고등학교 시절 교회 전도사님께서 영문 책을 한 권 수신 적이 있다. 이 책은 미국의 저명한 흑인 의사인 벤 칼슨(Ben Carson)이 쓴 『Gifted Hands』란 자서전이었다. 이 책은 내가 난생 처음 정독한 영문 책이다. 책 내용이 흥미로웠기 때문에 이것이 계기가 되어 나는 영문 책 읽는 습관을 기를 수 있었다. 내가 영어 성경을 읽기 시작한 것도 바로 이때다.

독서는 지식의 폭을 넓혀 줄 뿐 아니라 다양한 문장 표현과 단어를 접할 수 있도록 해 주기 때문에 어휘력 향상에 큰 도움이 되었다. 영문 책을 읽는 것은 여러 방면에 학습 효과가 있었다. 어휘뿐 아니라 영작할 때 가장 적절한 단어를 뽑아 낼 수 있었고, 청취력에도 큰 도움이 되었다. 나는 좋아하는 한두 권의 책을 여러 번 정독했는데, 여러 가지 책을 한 번씩 읽는 것보다 더 효과적이었다. 한 권의 책을 여러 번 읽다 보니 그 책의 문장 하나하나가 머릿속에서 맴돌았고 자연스럽게 실생활에 적용할 수 있었다.

　초보 단계인 초등학생의 경우에는 어린이 동화책으로 시작하여 단편소설로 발전시킬 것을 권한다. 책을 처음 읽을 때 모르는 단어를 하나하나 찾아가며 읽지 말고 모르는 단어는 문맥의 흐름에 맞춰 의미를 짐작하는 것이 좋다. 먼저 전체적으로 한번 통독한 다음에 몰랐던 단어의 의미를 찾아가며 꼼꼼하게 읽는 것이 좋다.

　중·고등학생의 경우에는 자신의 실력에 맞는 단편소설이나 잡지 등을 꾸준히 읽으면 효과적이다. 모르는 단어가 있으면 절대 그냥 넘어가지 말라. 연습장에 적어 두었다가 그날이 가기 전에 자신의 것으로 만들어라. 만약 모르는 문장이 있거나 이해가 가지 않는 문단이 있다면 끈기를 갖고 반복해서 읽어 보고, 그래도 이해가 가

지 않는다면 영어 선생님이나 영어를 잘하는 친구에게 물어보라. 이런 작은 노력 하나하나가 훌륭한 영어 실력으로 되돌아온다는 것을 명심하라.

좋은 글을 쓰기 위해서는 좋은 글을 많이 읽어야 한다. 책을 읽다 자신의 마음에 드는 문장이나 표현이 보이면 그것을 암기해 실생활에서 한 번쯤 써 보도록 노력하라. 세련된 언어 구사 능력은 결코 거저 오는 것이 아니다. 많이 보고 많이 써 봐야 비로소 한 단계 발전한 영어 실력을 갖출 수 있다.

✔ **Check Point**
- 영문 책을 읽으면서 독해력과 어휘력을 키워라.
- 처음에는 어려운 책보다 쉽고 재미있는 내용의 책을 선택하라.
- 처음에는 가볍게 훑어보고 두 번째는 정독하며 최소한 2번 이상 읽도록 하라.
- 모르는 단어가 있으면 먼저 문맥상의 의미를 유추해 본 다음에 사전을 통해 정확한 의미를 알아보는 연습을 하라.
- 좋은 문장은 따로 적어 두었다가 자주 읽어 보라.

4
영작을 하라

단어 암기를 습관화하고 영문 책을 읽기 시작했다면 마지막으로 영작 연습을 해야 한다. 영어 문장을 써 보는 것이 영어 실력 향상에 얼마나 큰 도움을 주는지 직접 해보지 않은 사람은 알 수가 없다. 나는 무료 영어 강습 시간에 수강생에게 에세이 숙제를 내주곤 한다. 하루는 자기소개서를 쓰고, 하루는 자신의 꿈에 관해 쓰고, 또 하루는 자신의 관심사를 써 오라는 등 수강생들에게 영어 문장을 많이 쓰도록 권장한다.

수강생이 가장 어려워하는 숙제가 바로 에세이 쓰기다. 평소 영문 책을 전혀 읽지 않는 사람일 경우 그 정도는 매우 심각하다. 그럼에도 불구하고 수강생은 숙제이기 때문에 몇 시간을 공들여 에세이를 써 온다. 한 달 후 수강생들은 가장 힘들고 하기 싫었던 숙제가 바로 에세이였는데, 이것이 가장 큰 도움이 되었다고 말했다.

쓰기(writing)를 습관화하기 위해서는 영어 일기를 쓰는 것이 큰 도움이 된다. 이른바 영어식 사고방식을 매일 조금씩 연습하는 것이다. 실생활을 기술해 보는 것부터 시작해 살아가면서 일어나는 여러 가지 사건을 열거하여 문장을 완성해 보라. 영어 일기는 일주일에 최소 3회 이상 쓰는 것이 좋다. 굳이 길게 쓰려고 애쓸 필요는 없다. 반 페이지 분량으로 자신의 생각과 느낌을 적어 보라.

이때 자신이 한국어로 머릿속에 생각했던 내용을 100퍼센트 표현하기란 쉬운 일이 아니다. 이때 무엇보다 중요한 것은 한국어를

먼저 생각하고 번역해서는 안 된다는 것이다. 자신이 읽었던 책이나 잡지 등의 문장을 인용하거나 참조하는 것도 좋은 방법이다. 자신이 쓴 일기는 전문가에게 교정을 받고 두 번 다시 똑같은 실수를 반복하지 않도록 한다.

영어 성경구절을 적어 보는 연습도 효과적이다. 단순히 성경을 눈으로 읽는 데 그치지 않고 노트에 적다 보면 구절을 좀 더 빨리 암기할 수 있다. 영어 전문가들은 영어를 효과적으로 익히는 데 문장 암기를 가장 강조한다. 성경구절을 암기하게 되면 그만큼 영어 실력을 향상시킬 수 있는 것이다. 성경구절을 적어 보는 연습은 많은 시간과 노력을 필요로 하기 때문에 처음부터 큰 욕심을 내선 안 된다. 이미 적어 본 말씀이라도 반복해서 쓰면 큰 도움이 된다.

쓰는 연습을 많이 한 사람은 말하기(speaking)가 수월해진다. 대체적으로 말하기는 쓰기보다 쉽고, 두 가지 영역은 밀접한 연관성을 갖고 있다. 일단 자신이 썼던 문장은 쉽게 말로 옮길 수 있다. 에세이를 쓰다 보면 다양한 어휘 구사력과 주제의 전개 방법 등을 간접적으로 훈련할 수 있을 뿐 아니라 반복하다 보면 이것은 실력이 되어 돌아온다. 지금도 늦지 않았으니 영어 일기를 꼭 쓰도록 하라. 영어 구사 능력이 한 단계 도약하는 달콤한 결실을 보게 될 것이다.

✔ Check Point
• 좋은 성경구절이 있으면 따라 써 보라.
• 가벼운 영어 일기에서 시작해 에세이까지, 글은 쓰면 쓸수록 실력이 늘어난다.
• 처음부터 문법을 완벽하게 구사해서 글을 쓰려고 하면 몇 자 적지 않고 포기하게 된다. 그러므로 일단 편하게 끼적이듯 써 보라. 글을 쓰고 나서 차근차근 고쳐 나가면 된다.

5
자신감을 갖고 말하라

영어를 아무리 오랫동안 배운 사람이라도 막상 미국인 앞에 서면 침이 마르고 입은 굳어버리기 일쑤다. 이런 불상사를 방지하기 위해 평소 자신이 배운 내용을 실생활에 적용하여 자주 활용해 보는 것이 좋다. 마음이 맞는 친구와 함께 영어로만 대화하며 그날 배운 영어를 사용해 보길 권한다. 눈으로 배울 때와 또 다른 효과를 보게 될 것이다. 영어를 구사할 때 가장 중요한 것은 자신감이다. 아무리 영어를 많이 공부한 사람일지라도 자신감이 없으면 그 실력을 발휘할 수 없다.

미국에 처음 갔을 때, 영어에 자신감이 없던 나는 발음과 문법에 지나치게 신경을 쓰다가 결국 할 말을 못 하고 마는 경우가 종종 있었다. 지금 생각해 보면 참 쓸데없는 걱정이었다. 실제로 많은 한국인이 자신의 발음이나 문법이 행여 틀리지 않을까 하는 걱정 때문에 쉽게 입을 열지 못한다. 그렇다 보니 미국 사람 앞에서 소극적인 태도를 취할 수밖에 없다.

여기서 우리가 기억해야 할 것은 미국인은 한국인과 대화할 때 상대방에게 훌륭한 영어 실력을 기대하지 않는다는 사실이다. 대화하는 동안 잘못된 영어를 구사하더라도 의미만 제대로 전달되면 그들은 전혀 신경 쓰지 않는다. 오히려 영어를 조금이라도 구사할 줄 아는 것에 고마워하며 "잘한다"는 칭찬을 아끼지 않는다. 완벽한 영어를 구사할 줄 아는 것이 중요한 게 아니라 입을 열어 대화를 나눈다는 것이 중요하다. 평소 잉글리시(English)를 배우되 실전에서는 자신감을 갖고 콩글리시(Konglish)를 사용해도 무관하다.

발음에 자신이 없는 사람은 카세트에 자신의 발음을 녹음해 들어보라. 또한 영어를 잘하는 사람에게 자신의 발음을 들려주고 교정을 받아 보라. 만약 여건이 된다면 영어를 잘하는 친구에게 발음을 교정해 달라고 부탁하는 것도 좋은 생각이다. 또한 영어 학습 카세트나 비디오를 이용해 미국 본토 발음을 지속적으로 따라서 연습하는 것이 좋다.

미국 사람과 똑같이 발음하겠다는 생각은 일찌감치 버려라. 영어가 제2외국어라면 그것은 이미 불가능한 일이다. 그렇다고 낙심할 필요는 없다. 영어는 이미 세계 공용어가 되어 전 세계 사람이 사용하고 있다. 그들의 영어 발음을 주의 깊게 들어 보면 모두 조금씩 다르다. 따라서 미국식 발음에 집착하기보다는 한국식 발음이라도 영어를 쓸 줄 아는 사람이라면 누구든 알아들을 수 있는 올바른 영어를 구사하는 게 우리의 목표가 되어야 한다.

지나치게 혀를 꼬부린 영어 발음으로 인해 상대방이 알아들을 수 없다면 그것은 옳지 못한 영어 구사다. 남의 방식을 무조건 추종하려는 강박관념을 버리고, 자신의 개성이 담긴 생생한 영어를 구사하려고 노력하는 게 무엇보다 중요하다.

영어를 두려워해서도 안 되지만, 반대로 영어를 정복하려고도 하지 말라. 정복해야 할 고지는 존재하지 않을뿐더러 영어는 정복할 수 있는 성질의 것도 아니다. 영어 학습이란 단계적으로 차츰차츰 실력을 쌓아 가는 방법밖에 없다.

미국에서 십 년을 산 나도 여전히 영어 공부를 멈추지 않고 있을 정도로 영어는 평생 해야 할 공부다. 좋은 영문 책을 읽고, 좋은 문장을 암기하고, 그것을 활용해 보는 것이 가장 좋은 영어 학습법이다. 여기에 하나님이 주시는 영어의 지혜까지 얻는다면 우리는 더 이상 영어 때문에 고민할 필요가 없다.

- 영어 스터디 그룹을 만들어 친구들과 영어로만 대화하는 연습을 하라.

- 머릿속에서 한국어를 영어로 번역해서 말하려 하지 말고 자연스럽게 내뱉도록 하라.

- 외국인을 두려워하지 말라. 그들에 대한 두려움을 극복하는 것이 회화 실력을 높이는 첫걸음이다.

- 문법이 조금 틀렸다고 해서 하나하나 지적하는 사람은 없다. 영어가 모국어인 사람도 틀린 문법을 사용하는 경우가 있다.

- 정확한 발음을 하도록 연습하라. TV나 라디오를 듣고 따라 말하면서 자신의 발음을 교정하라.

조현영이 십대에게 전하는 33가지 충고

1. 하나님으로부터 선택받은 자녀임을 믿어라

지금 당장 고난의 한가운데 있더라도, 앞으로 어떤 어려움이나 힘든 시련이 다가오더라도 슬퍼하거나 좌절하지 말라. 우리는 하나님께서 선택하신 자랑스러운 아들과 딸이므로 하나님은 우리를 눈동자처럼 지켜 주실 것이다.

2. 믿음의 눈으로 바라보라

전능하신 하나님 안에서 불가능이란 없다. 단지 우리가 간절함을 가지고 간구하지 않는 것뿐이다. 믿음의 눈은 불가능도 가능케 한다. 꼴찌가 우등생이 되지 말라는 법은 없다. 마음속에 불가능하다고 여겨 왔던 모든 것을 말끔히 지워 버리고 믿음의 눈으로 새롭게 도전해 보라.

3. 부모를 공경하고 그 말씀에 순종하라

자신의 부모를 공경하지 않으면서 하나님을 공경할 수 있다고 생각하지 말라. 하나님의 축복을 누리고 싶다면 먼저 내 부모를 공경하고 그 말씀에 순종하기 바란다.

4. 세상과 구분된 삶을 살라

오늘날까지 많은 그리스도인에게 모범이 되는 다윗, 요셉, 다니엘의 공통점은 어린 시절부터 세상과 구분된 삶을 살면서 하나님께 자신의 의지를 온전히 드렸다는 것이다. 세상의 혼탁함에 물들지 말고 하나님께 자신의 의지를 온전히 내어 드려라. 우리도 성경 속의 인물처럼 될 수 있다.

5. 원대한 비전을 가져라

하나님이 곧 비전이다. 비전 없는 삶은 믿음 없는 삶과 다름없다. 내가 원대한 비전을 가슴에 품고 그것을 이루어 나갈 때 하나님의 전능하심이 자연스럽게 증거될 수 있다. 그러므로 우리의 가슴에 원대한 하나님을 품어야 한다.

6. 비전을 성취하라

비전을 품고 있다고 해서 바라는 모든 일이 이루어지는 것은 아니다. 그것을 성취하기 위해 우리는 각고의 노력을 기울여야 한다. 노력하는 오늘이 있기에 밝은 내일이 있고, 밝은 내일이 있음으로써 우리의 비전을 이룰 수 있는 것이다.

7. 실천하는 그리스도인이 되라

믿음은 바라는 것이 아닌 실천하는 것이다. 자신이 믿음으로 결심하고 내뱉은 말을 실천하라. 실천하는 그리스도인이야말로 참된 그리스도인이다. 빈 수레가 요란하다는 말을 듣지 않도록 최선을 다하라.

8. 하나님 안에서 자신의 가능성을 극대화시켜라

하나님 안에서 우리는 누구나 가능성을 갖고 있다. 그 가능성을 0퍼센트로 만들 것인지, 아니면 100퍼센트로 만들 것인지는 우리 자신에게 달려 있다. 자신의 가능성을 극대화시키고 싶다면 지금 당장 성경을 읽고 공부하라. 우리에게는 더 이상 머뭇거릴 시간이 없다.

9. 기도로 두드리고 노력하라

두드려라, 그리하면 열릴 것이다. 자신이 바라는 것이 있다면 기도로 소망의 문을 두드려라. 기도와 노력의 두 손뼉이 마주치면 기적이 일어난다. 하나님은 스스로 돕는 자를 도와주신다는 사실을 잊지 말라.

10. 기도 동역자를 세워라

"백지장도 맞들면 낫다"는 말이 있듯 기도도 혼자서 하는 것보다 여러 사람이 함께할 때 그 힘은 배가된다. 마음이 맞는 사람들과 함께 신령과 진정으로 기도하면 하나님의 큰 역사를 체험할 수 있다.

11. 십일조를 생활화하라

하나님께서 주신 물질의 축복을 십일조로 올려 드리는 것은 당연한 일이다. 물질이 가는 곳에 사람의 중심이 가게 마련이다. 하나님은 우리의 중심을 받기 원하신다.

12. 하나님이 학생에게 주는 세상의 사명은 공부다

회사원이 회사 일을 게을리하거나 소홀히 하면 안 되는 것처럼 학생에게 주어진 사명은 공부다. 공부를 게을리하거나 포기한다면 하나님은 우리에게 더 큰 사명을 주실 수 없다. 하나님께 더 크고 귀한 자녀로 쓰임받고 싶다면 후회 없이 열심히 공부하라.

13. 연단 후엔 축복이 온다

세상을 살다 보면 누구나 한번쯤 연단을 겪게 된다. 연단은 우리를 겸손하게 만들고, 하나님을 더욱 의지하게 만든다. 하나님은 연단을 통해 우리에게 깨우침을 주신다. '고진감래'라는 말이 있듯이 연단의 터널 끝에는 하나님의 축복이 기다리고 있다는 사실을 기억하라.

14. 리더가 되라

뱀의 꼬리가 되기보다는 용의 머리가 되라. 학원, 학교, 회사 등 우리의 일상은 무수히 많은 집단에 속해 있다. 담대함을 가지고 무리에서 우두머리가 되라. 다른 사람에게 이끌리기보다는 리더가 되어 그들을 주님의 복음 안으로 이끌도록 하라.

15. 지혜로운 리더가 되라

지혜롭지 못한 리더 밑에서 일한다는 것은 매우 곤욕스러운 일이다. 리더가 되었다고 해서 무조건 이끌어가기보다는 하나님께 간구하여 지혜롭게 행동하라. 내 지혜가 부족하여 따르는 자들을 옳은 길로 인도하지 못한다면 하나님을 욕보이는 것과 마찬가지다.

16. 거짓말을 하지 말라

거짓말은 습관이며 중독성이 강하다. 그리고 거짓말은 또 다른 거짓말을 낳는다. 나중에는 자신도 어느 것이 진실인지 구분하지 못하는 경우가 생기기도 한다. 잠깐의 상황을 모면하기 위해 한 거짓말이 자신의 존재를 위협할 정도가 되어 돌아오지 않도록 하라. 정직한 사람은 하나님과 사람들에게 환대를 받는다.

17. 화를 자주 내지 말라

하나님은 사소한 일에 곧잘 화를 내는 사람을 쓰실 수 없다. 모세는 화로 인해 가나안 땅에 들어가지 못했다. 어떤 상황에서도 의연하게 받아들이고 대처할 수 있는 사람만이 약속의 땅에 들어갈 수 있다. 넓은 마음으로 모든 일을 대하도록 하라.

18. 험담하지 말라

남을 흉보는 사람의 공통점은 자격지심이 있거나, 피해의식을 가졌다는 것이다. 자신을 돌이켜 봤을 때 그 사람보다 부족한 점이 있다면 상대를 먼저 깎아 내리려 하지 말고 그 사람의 훌륭한 점을 인정하고 자신도 그렇게 하도록 노력하라.

19. 남을 축복하라

축복된 삶을 살기 원한다면 먼저 남을 축복해야 한다. 남을 축복할 때 그 축복은 배가되어 우리에게 돌아온다. "안녕하세요?" "감사합니다" 대신 "축복합니다"라고 말해 보라. 말하는 사람도, 듣는 사람도 기분이 좋아질 것이다.

20. 가정을 소중히 여기라

가정을 소중하게 생각하지 않는 사람은 다른 친구를 소홀히 대할 가능성이 높다. 가정을 소중히 여겨라. 그러면 마음이 따뜻해지고 진정한 사랑을 나눌 수 있다.

21. 겸손은 미덕이므로 매사에 교만하지 말라

하나님께서 생각하시는 가장 어리석은 자는 교만한 사람이다. 하나님께서 주신 축복을 자신이 이룬 영광으로 여기지 말라. 오직 하나님의 영광만 나타나고 늘 겸손해지려고 노력하라. 그러면 자신도 모르는 사이에 관계의 문이 활짝 열려 있을 것이다.

22. 자신감 있는 미소를 연습하라

애써 표현하지 않아도 성공한 사람의 얼굴에는 자신감이 가득 차 있다. 초롱초롱한 눈빛에 미소를 머금은 얼굴은 보는 사람마저 기분 좋게 만든다. 반면 실패한 인생을 사는 사람의 얼굴에는 미소를 찾아보기 힘들다. 항상 우울해하고 세상의 모든 고난을 짊어지고 있는 듯한 표정을 짓고 있다. 지금 당장 거울 앞에 서서 자신이 어떤 얼굴을 하고 있는지 확인해 보라. 그러고 나서 자신감 있는 미소를 연습하라.

23. 지속적으로 자기계발에 힘쓰라

성공한 사람은 끊임없이 자기계발을 위해 투자하고 노력한다. 우리 그리스도인은 세상의 빛과 소금이 되어 많은 사람에게 본이 되기 위해 끊임없이 자기계발에 힘써야 한다. 하루가 다르게 발전하는 우리의 모습을 세상 사람이 볼 때 전능하신 하나님의 형상을 보게 될 것이다.

24. 청소년 시절을 알차게 보내라

지나간 세월은 돌아오지 않는다. 세월이 흘러 과거를 후회해도 시간을 되돌릴 수는 없다. 십대 때 어떤 생활을 하느냐에 따라 이후 자신의 모습이 결정된다고 해도 과언이 아니다. 청소년 시절 자신을 채찍질해서 방황의 길로 들어서지 않도록 하라. 성공한 대부분의 사람은 청소년 시기에 부지런한 삶을 실천하며 열심히 공부했다.

25. 세상 가요보다는 CCM과 찬송을 들어라

세상 가요를 아무렇지도 않게 흥얼거리다 보면 우리의 생각은 무의식중에 세상에 지배당하게 된다. 공부에 집중하지도 못하고 성경과 기도 시간도 줄어들게 된다. 그러므로 CCM 혹은 찬송을 듣도록 하라. 우리의 영이 맑고 충만해짐을 느낄 수 있을 것이다.

26. 술과 담배를 멀리하라

술을 마시며 복음을 증거하는 사람은 대단한 사람이다. 담배를 피우며 전도하는 사람은 위대한 사람이다. 그러나 세상 사람은 이런 훌륭한 사람 때문에 교회에 오기 싫어한다. 세상 사람도 신앙생활의 기본이 무엇이고, 신앙인의 도리가 무엇인지 잘 알고 있기 때문이다.

27. 하나님을 두려워하는 남자를 만나라

하나님을 모르는 남자를 전도는 하되, 그와 사귀거나 함께 미래를 꿈꾸는 것은 다시 한 번 생각해 보라. 이삭과 리브가처럼 복된 가정을 일구고 싶다면 하나님을 두려워하는 남자를 만나라. 신실한 믿음을 가진 남자는 당신과 가정, 하나님께 충실할 것이다. 둘의 믿음이 하나가 될 때 엄청난 시너지 효과가 발휘되어 큰 하나님의 역사를 일으킬 수 있다.

28. 세상 여자에게 한눈팔지 말라

온갖 세상 것으로 화려하게 치장한 여자에게 눈과 마음을 빼앗기지 말라. 믿음 없이 겉만 화려한 사람과 함께하는 즐거움은 잠깐이다. 하나님 안에서 맑은 영혼과 믿음을 소유한 여자를 만날 수 있도록 기도하라.

29. 자기관리를 철저히 하라

자기관리를 잘하는 사람은 어떤 일이 주어져도 잘 헤쳐 나간다. 그러므로 자기관리에 인색하지 말라. 이는 성공의 밑거름이다. 철저한 자기관리를 통해 내면과 외면을 함께 가꾸어 나가도록 하라.

30. 독서를 습관화하라

책은 지식의 보고다. 성경, 전문서적, 자기계발서, 신앙간증서 등 유익한 책을 많이 접하라. 책을 늘 가까이 하는 습관을 통해 지식의 깊이를 더하고 지혜로운 사람이 되라.

31. 지식인이 되라

아는 것이 힘이다. 지식 없이 오직 성실함만 가지고 성공할 수 있는 시대는 지났다. 현대는 지식과 정보의 싸움이다. 얼마나 많이 알고 전문적인가에 따라 성공의 유무가 결정된다. 많이 읽고 많이 쓰고 많이 생각하라.

32. 믿지 않는 사람보다 더 크게 성공하라

반에서 꼴찌인 학생이 1등 하는 친구를 전도하는 것보다 1등인 학생이 꼴찌 학생을 전도하는 것이 쉽듯, 자신보다 더 나은 사람이 하는 말을 더 잘 믿고 따른다는 것은 당연한 일이다. 하나님의 복음을 전파하기 위해 믿지 않는 사람에게 본이 될 수 있도록 더욱 열심히 공부하고 더욱 부지런히 생활하라.

33. 글로벌 리더가 되기 위해 영어는 필수다

제2의 반기문을 꿈꾸는 사람이 있는가? 세계복음화에 앞장서고 싶은가? 영어는 글로벌 리더의 필수 조건이다. 자신의 의사를 정확하게 표현하고 자유롭게 대화하는 것은 일과 인간관계에서 매우 중요하다. 세계 속에서 우뚝 서고 싶다면 영어 공부에 매진하라.

나는 하나님의 가능성 이고싶다